# BREVIÁRIO DAS TERRAS DO BRASIL

UMA AVENTURA NOS TEMPOS DA INQUISIÇÃO

Luiz Antonio de
Assis Brasil

# BREVIÁRIO DAS TERRAS DO BRASIL

UMA AVENTURA NOS TEMPOS DA INQUISIÇÃO

L&PM
EDITORES

*capa*: Caulos
*revisão*: Cintia Moscovich e Renato Deitos
*produção*: Jó Saldanha e Lúcia Bohrer
*controle da produção*: Antônio Aliardi

ISBN: 85.254.0758-5

A848b Assis Brasil, Luiz Antonio de 1945-
Breviário das terras do Brasil: uma aventura nos tem pos da Inquisição / Luiz Antonio de Assis Brasil. -- Porto Alegre: L&PM, 1997.
232 p. 21 cm.

1. Ficção brasileira-Romances. I. Título.

CDD 869.93
CDU 869.0(81)-3

Catalogação elaborada por Izabel A. Merlo, CRB 10/329


Porto Alegre: Rua Padre Chagas 185/802 - 90570-080 - RS
Fone:(051) 346.3444 Fax: (051) 346.2960
São Paulo: Rua Catão 559 - Lapa - 05049-000 - SP

Impresso nas oficinas gráficas da L&PM Editores S/A
Brasil - 1997

*Para REGINA ZILBERMAN,*
*que me trouxe este texto do passado.*

# A TEMPESTADE

É noite e escuro e sem estrelas e a tormenta cai sobre o rio de la Plata, estrugindo como os intestinos do mundo, jogando de lá para cá a pirágua-guia e seu amarrado atrás, uma balsa de juncos repleta de santos de pau, e é o índio gritando na pirágua, clamando pela dores da Virgem, implorando ao Padre-mestre que saia de seu silêncio oratório, que responda alguma coisa pois se vão direito às barrancas, vão esbarrondar-se naqueles calhaus perigosos que à luz do sol apresentam-se com a inocência das nuvens mas que à noite são solertes como demônios; mas o Padre-mestre não responde, embebido num agourento silêncio, sumido nas sombras da pequena palhoça erguida sobre a embarcação de juncos, e a que chama castelo de popa, nome tão sonoro e majestoso para tanta indigência. Francisco Abiaru grita até rebentarem os pulmões o nome do Padre-mestre e sua voz perde-se no negror da noite, "diga ao menos se está aí, pelo amor de Deus!", e em resposta apenas ouve o esbravejar do rio que parece um revoltoso mar oceano, tal como na imaginação de Francisco Abiaru deve ser o mar, espumando-se em cólera, o rio de la Plata que tanta gente já tragou naquelas paragens, são decerto os espíritos ruidosos dos antepassados guaranis que marulham e enlouquecem as águas, por estar um filho seu Francisco Abiaru de acertos com gente cristã e jesuíta a esculpir santos e ainda a levá-los a Buenos Aires para ornamento de um templo famoso pelo ouro e recamações de prata.

Custoso, tremendo a mão, as tripas se desfazendo em água fedorenta, Francisco Abiaru vai tateando a popa da pirágua-guia, sente o grosso volume da corda de embira que se retesa e se afrouxa, volta a retesar-se: ainda prende pois a embarcação de juncos mas a preciosa carga talvez esteja perdida há muito, e perdido o padre, quem sabe a embarcação de juncos não é mais do que dois-três caibros mal atados e Abiaru ainda querendo falar à noite e ao nada. E agarra-se ao costado da pirágua que roda no eixo da corda, vai e volta como uma palha em um córrego de chuva, as ondas nas espáduas, enchendo-se a cavidade da pirágua, logo não saberá mais o que é canoa e o que é rio. Um raio parte ao meio o céu terrível e naquele fuzil esbranquiçado Francisco Abiaru pouco enxerga, mas vê que todo o desconjunto vai de encontro a uma grande pedra no meio da torrente, não conhecia aquela pedra, maior e mais terrível do que a noite, a pata solene de Belzebu posta ali para desgraçá-los. Fecha os olhos, comprimindo-se ao casco da pirágua, mas o estrondo do trovão, grosso como uma peça de artilharia, faz com que os abra, e a tempo de colher a claridade de outro raio; e ele percebe os contornos destruídos da carga, ainda restam três santos de pau desgarrando-se, desfez-se o castelo de popa, desfez-se o padre, a tragédia acontece e ele agora só, a pedra decerto cada vez mais próxima, vai ser agora um baque, um golpe tremendo que virá desfazer o que ainda sobra da malfadada expedição a Buenos Aires.

Francisco Abiaru prepara-se enrijando os músculos, comprimindo as pálpebras e nada de estrondo, é só aquele arrastar estrepitoso pelas águas, escapou-se da pedra, sorte, bênção do Santo Inácio. Começa a rezar uma *Salve Regina* à qual emenda depressa um *Confiteor* amainador da fúria divina, precisa apresentar-se limpo no céu agora tão próximo que quase pode ouvir os anjos tocando tubas e trombones e tiorbas como no coro da igreja da Redução. O fim iminente de tudo faz com que Francisco Abiaru solte os braços, as mãos deslizam pela madeira, a cabeça lentamente afundando na água, ele despegando-se da piráguа, o corpo amolecido e lasso, largando-se... Despega-se, finalmente, como a criança se solta do ventre da mãe, os braços boiando, ondulando nas ondas como se estivessem quebrados, as pernas brandas e fatigadas, ele todo solto e à mercê da tormenta, dos calhaus, das pedras, um ser fantasioso que sente o último estrebuchar da vida, larga o mijo que flui quente entre as coxas, de mistura com a frialdade das águas, o concerto celeste, onde? onde as tiorbas e tubas?

Quando sim há o golpe, algo bate em sua cabeça, bem no topo, um volume denso e duro despertando-o da fantasia desvairada, trazendo-o à luz da vida. Agarra-se com todas as ânsias ao volume, os dedos tateando vão reconhecendo as barbas duras, o pescoço duro, a dureza do peito, a coroa de espinhos fincando a pele tantas vezes lacerada pelos formões e talhadeiras, o corpo oferece-se como resgate e bóia, de boa madeira feito, também aquele Corpo despregara-se com a tormenta, mas de um enorme crucifixo que Francisco Abiaru ele mesmo demarcou e serrou e poliu e encerou, cravando nele as Mãos e os Pés divinos. Abraça-se ao Salvador, homem de seu tamanho terrestre, o Padre-mestre quis que fosse do tamanho natural, era mais valioso e belo, e em Buenos Aires os enriquecidos clérigos seculares dariam preço altíssimo, em prata contada. Não quero mais morrer, pensa Francisco Abiaru, enlaçando perna com perna, abrindo seus braços sobre os hirtos braços abertos, peito contra peito, as costelas de Cristo rasgam as carnes, mas bem mais sofreu Ele na cruz por nossos males nojentos. Não vai morrer, já não quer, mas também não verá mais o Padre-mestre, nessa hora jazendo no leito barroso do rio de la Plata, aquelas mãos finas e espanholas esgravatavam errantemente o lodo ao sabor das correntes aquáticas, as mãos e dedos que tanto esculpiram tantas imagens de pau, com amor e carícia. Francisco Abiaru larga também o choro, larga todas as águas da natureza corporal, os pulmões não sabem se respiram à tona ou se choram, só não pode largar de si a alma, que a quer muito presa agora às suas carnes. Chora também a perda de tantas imagens de pau extremosamente esculpidas e com as quais num momento de sonho ele e o padre imaginaram erguer tanto dinheiro que voltariam ricos de Buenos Aires, com brilhante ouro em saquitéis de veludo e lingotes de prata, tudo para derreter e fundir em formas de cálices, patenas, ostensórios e candelabros. Tudo isso, todo esse sonho desce rio abaixo, ao destino do fragoroso mar, reino dos grifos e das sereias. Apenas lhe resta o Salvador, e nunca Ele foi tão merecedor deste nome. Mas é sua força, a única nesta hora, e comovido diz alto: *Por la señal de la Santa Cruz de nuestros enemigos liberanos Señor en el nombre del Padre e del Hijo y del Espíritu Santo Amén, Jesus.* Por docilidade ao materno idioma recita: *Santa Cruz ra angaba rehe or amora rey mbaragui. Orepi ciro epe Tupa Oroyara Tupa hac Taira hac Espiritu Santo rera pipe Amem Jesus.* Para maior certeza de ser ouvido lembra-se das missas: *Por signum Sanctae Crucis de inimicis nostriis libera nos Deus noster, in nomine Patris et Filii et Spiritus Sancti Amen.* Não vai morrer mais, a vida lateja em seus membros guaranis, é forte, moço e belo, tem destreza e malícias, e possui uma arte que nunca ninguém lhe poderá tirar.

Mas os rios são tenebrosos à noite, povoados de peixes e almas, demônios talvez, prontos a tragar quem se desgoverna. Ainda mais nesse rio de la Plata, Francisco Abiaru num ponto que não conhece de tanto que desceu, levado pela torrente encrespada. Chove todos os barris a que o céu tem direto nesta quadra do ano e as águas crescem, Francisco Abiaru pode sentir como elas se adensam debaixo do corpo sagrado ao qual mais se ajeita, deitando-se de dorso, os braços agora enlaçando pelas costas o torso de cedro, rodopiando, entontecendo, deixando-se levar, tem a seu favor todas as preces em todos os idiomas salvadores e todas as penitências e confissões que fez na vida.

Tem lapsos de entressonho e vigília, estremeções que dão conta de que dormiu por instantes, assim a natureza se compensa. E a cada acordar um novo firmar-se em sua salvação, é o Cristo sim que o acorda quando ele quer abandonar-se às águas que se vão tornando mais salgadas, *ah que me voy al mar*. Lá, no imenso mar, a perdição certa. Nunca ninguém se salvara, ouviu muitas vezes dizer. Padres contavam de gente que se tinha ido banhar ao costado do navio e que havia desaparecido sem nenhum rastro. Prende-se com toda a força, fecha os olhos, passam riscos iluminados pelo negror profundo, talvez o inferno, as submarinas regiões. Um sonho tão rápido como um suspiro: ele e o Padre-mestre chegando a Buenos Aires, são recebidos no porto pelo Papa todo vestido de ouro, a tríplice tiara reluzindo de diamantes, rubis e esmeraldas, o báculo incandescente dardejando raios em forma de cruz, Francisco Abiaru e o padre caem de joelhos, pedem perdão por trazerem aqueles santos de pau e não de ouro e o Papa aos gritos que jamais receberá objetos tão sacrílegos, e com um raio do báculo reduz a cinzas os santos tão pobres.

São dois seios bojudos e rosados pendentes no céu, gotejando água nos dois bicos negros como carvão e se aproximam e se afastam de Francisco Abiaru, ora chegam tão perto que, se quiser, toca-os; ora ficam tão longe que se confundem com as nuvens que se esgarçam no azul desmaiado. As sereias, pensa rápido Francisco Abiaru, pois mesmo no estraçalhamento dos sentidos e no quase quebrar dos ossos, lembra-se que as sereias dominam os mares. E não sonha, pois a água marítima lixa sua garganta como garras de Lúcifer e a espuma lava seu corpo, deixando uma renda de Holanda sobre seu peito negro.

Francisco Abiaru agarra-se mais ainda ao Salvador, sobe e desce ao sabor das águas serenas como respiração de criança. A uma vaga maior, os seios fantásticos adernam, vêm terríveis em sua direção, vão esmagá-lo de encontro ao Cristo, mas ele dá um safanão magnífico para o lado e os seios mergulham na água num fragor medonho, alçando as ondas às alturas da torre da igreja de São Miguel, e no seguimento dos seios vem todo o madeirame do enorme navio e as gargalhadas dos homens se concentram à proa, e gritam que estão vendo um índio, venham cá todos, um índio! Francisco Abiaru sente-se raspar com violência no costado eriçado de cracas que o ferem como esporas agudíssimas.

– Ei, índio, toma lá – e jogam uma corda que vem serpenteando sobre as águas, os dedos murchos conseguem alcançá-la, mas o braço livre ainda enlaça o pescoço do Salvador, e os homens rindo e gritando que largue o santo e Francisco Abiaru prende-se ainda mais nEle: vai reconhecendo o acento da malévola gente portuguesa e brasileira que tantos estragos fizeram nas Missões.

– Larga o santo, ó animal! – berram-lhe como seguidores de Belzebu.

– *No*! – responde, com aquilo que ainda sobra de suas forças – *Si no me voy con mi Salvador, me ahogo*!

Os homens suspendem as risadas, aparece um maioral na amurada, uns bigodões arrepanhados para a nuca, os cabelões emergindo do chapéu tricorne e que grita que venha com o santo, pois, ó pedaço d'asno! E da amurada mandam um marinheiro esguio atado pela cintura que se vem defendendo das cracas e traz uma outra corda e já na água pega o Salvador pelos pés e o amarra fortemente no ponto em que os pés pregados se unem, fez um sinal para cima e dois possantões começam a alçar o santo ao mesmo tempo em que também erguem Francisco Abiaru e assim vai suspenso, e bem seguro ao Salvador. Vêm todos os homens para a amurada e é um custo para o maioral mandar que abram espaço, mas não arredam pé, é preciso que um submaioral com um relho faça um grande claro no tombadilho, onde depõem Francisco Abiaru lado a lado com seu Cristo.

E é a escuridão dos olhos fechados e um grande cansaço e nada mais há que fazer, só dormir e desmaiar e assim se entrega.

## NO NAVIO

Um altíssimo senhor, um potentado de farta peruca encaracolada derramando-se aos ombros o está mirando através de uma lente e franze o nariz com nojo. Uma cara de muitas dissipações e vinhaças, revestida agora de um semblante austero, improvisado para a circunstância que o momento exige. Qualquer pessoa, num rosto, pode perceber a falta de regramento nos costumes e a libertinagem desvairada, por mais que seu dono tente disfarçar: olhos empapuçados e algo vermelhos, o beiço caído, as bochechas parecendo lençóis amassados em noite de amores, um desfazimento geral da fisionomia, uma velhice antecipada, rugas minúsculas que não derivam nem do riso nem da seriedade nem do peso dos anos – antes são marcas dos vícios, um a um, como vingança da humana condição por ser assim maltratada.

Pois todas estas marcas, rugas, beiço, bolsas nos olhos, tudo isto este senhor poderosíssimo possui. Francisco Abiaru está deitado numa fofa cama, alvo do interrogatório silencioso que lhe faz o capitão – assim o chamam, com todo o respeito e flexões de espinha. Talvez devesse saltar desta cama, talvez esmurrar este nariz perverso, fazendo desabar o capitão emoldurado em véstia de brocado e seu colete de seda, em suas rendas e jabôs filigranados, em suas meias brancas, em seus sapatos rasos de verniz e tacão escarlate, talvez deva rugir todas as imprecações, clamar aos céus e pedir vingança, mas onde a força e a coragem? O corpo se decompõe de tantos cortes das cracas nas pernas, nos braços, no peito, nas costas, todos doendo e latejando ao mesmo tempo. Tem febre, isto sente pela secura da boca e um calor que o torna uma brasa viva. Vou morrer em mão portuguesa, antes morrer no mar, abraçado ao meu Salvador. Aliás, tudo lhe parece quente e febril: um criado que segura uma bacia de onde se evola um fio de vapor; um sacerdote curioso e magro e de estranha cabeça rapada, cingida por uma breve coroa de cabelos e que também o espreita, a sala, ah! um verdadeiro castelo de popa, de panos coloridos e desenhados que pendem do teto, uma penumbra que mal dá vista a duas estantes de livros encadernados em verde, uma salva de prata que repousa sobre uma pequena mesa de pés torneados, outra mesa que sustenta rolos de papel amarelo, uma garrafa de vinho, um prato de porcelana com restos de comida.

Francisco Abiaru treme de pavor mais do que de febre, pois sem desejar veio interromper a alimentação deste grandíssimo personagem que ainda tem os lábios gordurosos e que lhe sopra por momentos um arroto de álcool e peixe defumado. E o potentado senhor lhe tateia o corpo beliscando a pele, erguendo olhares fantasiosos para o padre, estão pois tratando Francisco Abiaru qual um cadáver ressuscitado e por pouco não lhe estão a meter uma faca agudíssima entre as carnes do ventre, só para ver o que há dentro. O padre, erguido ao pé da cama, mantém-se reto em sua solene investidura espiritual, e troca eclesiásticos e inaudíveis murmúrios com o capitão, concordando, dissentindo, por vezes suspirando. Esse não possui o caráter degenerado do capitão, a pele gruda-se aos ossos e o nariz é tão fino como recortado em papel, e tão pontudo que rasga o próprio ar denso do compartimento. A única luz do rosto vem dos olhos, inquietos e movediços, perseguindo com avidez as explorações que o superior faz em Francisco Abiaru: percebe-se que pouco ou nada se há de esperar do padre, em matéria de gestos magnânimos ou compassivos, não sendo ele nem clemente consigo mesmo. Um outro soberano senhor, barão, conde ou enfim, aparece na cabine, mas vassalo do capitão, porque lhe inclina a cabeça; mas há nele uma outra natureza, superior às hierarquias humanas, pois assim como baixa a cabeça ao capitão, afasta-o delicadamente e aproxima-se de Francisco Abiaru. Este novo senhor, limpo e cheirando a alfazema revela-se um médico: o apalpar e apertar tem direção certa e não errante ou perversa; investiga-lhe os ouvidos, abre-lhe a boca, revira as pálpebras, aperta a caveira debaixo da carne, caminha os dedos entre as costelas, encosta o ouvido rente ao coração, manda que se vire, examina toda a parte adversa e, dando-se por satisfeito, diz ao capitão:

– Está sadio como um pêssego; Vossa Excelência pode destiná-lo a qualquer serviço assim que sarar das feridas; o mar pouco estragou porque os índios têm grossa pele. Neles, a humana natureza é sábia, pois vai somando camada sobre camada de pele e assim ficam fortes como se tivessem uma armadura. E para a febre vou-lhe dar quinino.

Endireitando-se, lava as mãos na bacia que o criado lhe apresenta, enxuga-as numa toalha de linho que outro lhe traz; feito o que, dá uma nova inclinação de cabeça e pede vênia para retirar-se. O capitão assente e depois de certificar-se de que o homem não está mais ali diz ao padre que é uma extravagância terem a bordo um médico tão propenso a falar coisas que todo mundo sabe, dizendo tantas parvoíces e frescuras e que só recomenda o quinino, assim até ele, capitão, podia embolsar aquele salário de médico que mais ganhava Sua Majestade. Dá uma gargalhada que estilhaça os ouvidos de Francisco Abiaru, agora à mercê de um repentino enjôo que lhe veio de tanto mirar o lustre de cobre pendurado no teto e que oscila ao sabor do balanço do navio. Mas o riso do capitão não é seguido pelo riso do padre; ao contrário, o capitão, olhando a face nebulosa do sacerdote, cai em si e baixa a voz, com aquela atenção de quem deve escutar muita sabedoria, a cabeça pendente, os dedos coçando lentamente o queixo:

– Pois... pois... não convém voltar à Colônia do Sacramento, padre, já andamos mais de cento e sessenta milhas e não esqueça que há franceses sempre no encalço, melhor será tomarmos rumo batido do nosso destino o Rio de Janeiro, e sem tardança... mesmo porque só teremos novo ponto português na Laguna...

– Se assim pensa Vossa Excelência... creio que não andará mal levando o índio, desde que tome precauções de que não tenha nenhum contato com a população do navio.

O capitão assegura que manterá o índio preso, mas por que tanto cuidado? é apenas um índio.

– Talvez para Vossa Excelência – e toma o capitão pelo braço e o leva para junto da janela, longe dos ouvidos espichados de Francisco Abiaru e, chegando-se muito rente às orelhas do senhor, vai falando num tom monocórdio sibilante como guizos de cascavel, mas nada se ouve. Ao sabor do enjôo, Francisco Abiaru percebe que algo se inicia, e longo e triste, a trama é ardilosa, está perdido e só, quando agora o que mais precisa é que alguém lhe trespasse dedos carinhosos entre seus cabelos e que lhe sopre palavras de consolo aos ouvidos tensos e cheios de angústia. Mas não, tudo se reveste de névoa de escondida hostilidade, mudez e distância, como num pesadelo do qual não se acorda por mais que se abra os olhos.

## Aparece o Cristo

– Galera Nossa Senhora da Glória, entendes, ó índio? – pergunta-lhe um soldado triste com um trabuco entre as pernas, encostado a um barril da azeite. – Entendes português?

– Sim – diz Francisco Abiaru, sôfrego, buscando algum tino na algaravia rápida e cheia de modulações do soldado.

– Galera Nossa Senhora da Glória! – exclama o timoneiro, posto logo abaixo do convés de popa, barrigão saltado de encontro ao eixo da roda, as grossas manoplas presas ao volante, e que vem acompanhando a conversa. Cospe para o lado: – Galera mui forte, com 38 soldados das Minas Gerais e 56 do Rio de Janeiro e 31 de todos os destinos, de artilharia e escopeta, todos de volta depois de um ano nessa merda de Colônia do Sacramento.

O soldado ergue o dedo:

– Último bastião português nestas lonjuras, índio, e o fedor que tu sentes vem de baixo, é do couro, muito couro para cobrir todas as cadeiras para acomodar as bundas dos generais e botar solas em todos os sapatos da Terra e ainda sebo, graxa e charque e mais cabelos de cavalo para fazer colchões para as putas, que esta maldita Colônia só produz essas mercadorias do caralho.

Francisco Abiaru pouco ouve, corpo moído da esfrega náutica em que se metera e seu olhar erradio apanha um camundongo que sai debaixo de um caixote e vem em direção mas logo se espanta com dois soldados que passam, cruza pelo braço de Francisco Abiaru, trepa alucinado pelo mastro, chegará até o cesto da gávea?

– E sabes por que estou com o trabuco armado, índio? – pergunta o soldado, interrompendo as divagações líricas de Francisco Abiaru e pela primeira vez esgarçando um sorriso. – Primeiramente porque me chamo Romão e sou soldado e meu dever é segurar essa porra de trabucos e mosquetes; em segundo porque estou cuidando que tu não te atires ao mar; em terceiro lugar porque ali no caralho do compartimento da proa – e mostra com beiço uma portinhola a dez passos de distância – está guardado o teu Jesuscristinho. Ninguém pode botar a mão nele até chegarmos ao Rio de Janeiro. Muitos pedem para ver só por devoção e eu nem respondo, mesmo porque preciso me comportar porque depois dessa viagem de merda abandono a vida militar e vou minerar ouro que está aparecendo nas Minas. Mas até o Rio de Janeiro cumpro ordens, que não sou bobo. Já vi teus olhos, índio, vi como eles estão olhando para a portinhola, decerto tu pensas que o teu Cristo está arranhado ou quebrado, não? pois não precisa tanto cuidado, ele está muito bem enrolado num pano, que o capitão mandou enrolar. Ei! índio! o que é isso? pára, índio fedorento, pára!

E o soldado larga o trabuco agora sem serventia e corre atrás de Francisco Abiaru que num vento, vencendo a molície do corpo corre e já se gruda na portinhola e com todas as forças guaranis atraca-se ao trinco, puxa, dá pontapés mas a portinhola parece de ferro, não se mexe nem geme, ah meu Santo Inácio de Loyola, me ajude, me ajude! Mas ferro é mais forte que músculo e logo Francisco Abiaru está-se cercando de gente que acorre e todos os braços o atacam mas ele arremete e fura a confusão de corpos, trastes, barricas, sacos e paus que enchem o convés, não me pegam, não me pegam portugueses excomungados, agarra-se a uma enxárcia que dolente balança e vai trepando pelo mastro de proa, custoso, difícil, a todo momento desliza abaixo, os homens aos berros, mas ele furioso consegue galgar até o topo do mastro e lá se encarapita, bufando pelo esforço, vendo uma sutil transformação: agora é o navio que oscila em meio ao oceano como uma casca de coco largada ao sabor da corrente.

– Desce daí, índio filho da puta! – gritam-lhe desde o convés, o soldado Romão o mais desesperado certamente prevendo os castigos e açoites que receberá.

– *No*! – berra Francisco Abiaru para baixo, sentindo-se escorregar, mesmo que os braços enlacem com toda a força a madeira polida do mastro. Por sorte ou por obra da Providência os pés encontram o barrote da vela de proa, pode então descansar. Formou-se uma aglomeração, aparece o capitão de chapéu emplumado, aparece o frade, e o capitão ordena que baixa daí índio safado, ao que Francisco Abiaru responde com mais e poderosos gritos de *no! no!*, nem mil homens o tirarão dali!

É quando o frade segreda ao ouvido do capitão, este concorda com a cabeça, chama dois soldados e manda alguma coisa. Os dois vão até o compartimento da proa, abrem a portinhola e de lá retiram um grande embrulho de pano, abrem-no, eis logo o Cristo de braços abertos estendendo-se sobre o pano no convés, cercado pelos tamancos, botas e sapatos imundos desta barbárie. Um dos soldados, ainda obedecendo ordens pega o Cristo pelos pés e vai arrastando até a borda do tombadilho, botando meio corpo para fora, dependurado. O capitão modula uma voz mais persuasiva:

– Se não desceres daí, índio, vou mandar o Cristo para a água, então, que dizes?

Francisco Abiaru agarra-se mais ao mastro, olhando. E vê que os homens não brincam, já empurram o Cristo mais para fora, só mais um pouco e vai cair ao mar. O Cristo, a única peça que lhe sobrou da tragédia, talhado inteiro por suas mãos, desde os pés retorcidos até a coroa de espinhos com pontas de cobre.

– *No hagan eso*! – diz lá de cima, ao que o capitão e o frade se sorriem e o capitão toma alce e grita:

– Então desce de uma vez, ó parvalho!

E Francisco Abiaru vai-se então largando, frouxando os braços, e pouco a pouco desce e mãos aprisionadoras o esperam lá embaixo.

## Um índio é interrogado

Abafado no compartimento escuro, mas sentindo a presença amorável do Cristo a seu lado, Francisco Abiaru ouve as vozes no convés superior, ordens trocadas de lado a lado, o mar batendo no costado da galera...

E a esse dia sucedem-se outros, além de noites, sempre quente, sempre o fedor, sempre as ordens e a esperança de que seja o último dia que o deixam preso, e a cada vez que a portinhola se abre inaugura-se um novo alento, mas sempre é para largarem duas ou três bolachas e meio peixe salgado e um cabaz com água e logo a portinhola se fecha, encerrando lá fora o dia e o sol luzidio. Depois que isso acontece, ele se concentra, dobra os joelhos, persigna-se e reza não pela odiosa comida que mal consegue tragar, mas para pedir àquele Deus jesuíta e espanhol que o tire dessa tristeza sem fim, não quer morrer à míngua nesta prisão, companheiro dos ratos e baratas. Depois, com amor e medo, apalpa as feições do Cristo, a única lembrança das remotas Missões e por vezes a face dolorosa nada lhe diz; mas em outras o Salvador como que lhe sorri em meio à escuridão e Francisco Abiaru quase pode ver o Rosto em que tanto se demorara – a boca entreaberta de quem expira dores, o nariz pontudo bem diferente dos narizes índios e os olhos, estes sim rasgados e insolentes da raça guarani, agora olhando o vazio, perplexos como Francisco Abiaru, metido nesta nau de inimigos que nas Missões só sabiam espalhar a destruição e o roubo, e o rumo ao Rio de Janeiro, terra bárbara onde ninguém nada vale. Lá a nova Babilônia de que falavam os padres nas Missões.

Um dia o abafado dissipou-se, a porta abre-se e uma cara de soldado ocupa a réstia do azul:

– Avia-te, índio, o frade quer falar-te.

Os membros amolentados por tanto tempo quase sem mexer-se, Francisco Abiaru deixa-se arrastar à cabina do capitão, onde o frade o espera sentado atrás da mesa, lentes acavaladas no nariz, aumentando os olhos ao tamanho de ovos. E ele sorri com as duas lâminas dos lábios, e indicando com a mão ossuda, manda que Francisco Abiaru se assente, quer fazer-lhe umas perguntas.

– Crês em Deus?

– *Sí* – responde Francisco Abiaru, mentalmente figurando aquele Deus das Missões, não este de que o frade se apossa igual como os portugueses roubam o gado dos guaranis.

– Crês em Jesus Cristo, seu único Filho, nosso Senhor e Salvador?

– *Sí* – igualmente Francisco Abiaru responde, tendo na idéia o Cristo que o espera no compartimento, já se confortando de que não precisará mentir, esse vício e feio pecado, e no entanto estará satisfazendo à raiva represada na contenção impaciente dos gestos do frade.

– Sabes dizer o Credo? – e, depois de uma pausa: – Inteiro?

Francisco Abiaru enche os pulmões e para escandalizar o frade, recita-o em guarani, ao que o outro bate com o punho na mesa e manda que fale língua de gente. Francisco Abiaru recomeça:

– *Creo en Dios Padre todo Poderoso, creador del cielo y de la Tierra...* – e o frade manda que não venha com trapaças dos jesuítas, o que está pensando? Francisco Abiaru então cruza os dedos junto ao peito, ajoelha-se e com devoção e malícia diz todo o Credo em latim, esforçando-se nos finais das palavras, são muito importantes, conforme os padres explicaram em São Miguel. O frade vai ouvindo, ouvindo, desaparecendo em um silêncio ameaçador, os olhos cinzentos de dúvida, os dedos cravados na face.

– O que tu fazias nas Missões dos jesuítas?

– *Era escultor.*

– Escultor? fazia imagens de devoção?

– *Sí. Y por que no? el Cristo que venía conmigo en las aguas fue hecho por mi.*

O frade joga-se para trás na cadeira:

– Não creio. – E diz que a história do Cristo nas águas é fantástica, uma obra de Deus misericordioso, mas daí ser ele índio o escultor, é mentira. Mas a voz do frade possui uma queda, já admitindo talvez que aquilo seja verdade, talvez pela firmeza de Francisco Abiaru. Os olhos semicerram-se, os pensamentos borbulhando na cabeça pelada, alguma vilania ali se forma. Toca uma campainha, pede ao criado que vá chamar o capitão. Enquanto esperam, ele passa e repassa o anel de um dedo para outro, os olhos entrando até o fundo da alma de Francisco Abiaru... e murmura como na idéia de algo muito maior:

– Escultor... escultor... então você é o escultor *daquele* Cristo...

Demora-se o capitão, e o frade o chama de novo e quando passado quase o tempo da reza de um terço o capitão aparece compondo as calças o frade o examina com certo rigor de censura, dá idéia que imagina o que o comandante deste navio andava fazendo e representa escandalizar-se de uma forma apenas cumpridora de seu papel.

– *Feminae...*? – pergunta.

– *Naturalia turpia non sunt* – diz o capitão, vaidoso de seu achado latinesco.

O frade e o capitão embrenham-se em digressão longuíssima, em que o clérigo afirma que enquanto Menelau contentou-se com uma só mulher, Helena lhe foi fiel, e o que ele espera quando chegar de volta ao Rio de Janeiro, se anda de deboches públicos? O capitão tem igualmente mitológicos argumentos, e assevera que sua esposa é da estirpe de Penélope que aguardou castamente Ulisses em toda sua excursão a Tróia. Mas o amor, diz o frade, o amor conjugal é tênue como um fio de aranha. O capitão senta-se num banco, cruza as pernas estiradas.

– O amor, frade?

*o amor é finalmente*
*um embaraço de pernas,*
*uma união de barrigas,*
*um breve tremor de artérias,*
*uma confusão de bocas,*
*uma batalha de veias,*
*um reboliço de ancas,*
*quem diz outra coisa é besta,*

sabe, frade, é do nosso Gregório.

– Por sinal um excomungado e um porco – ouve em resposta, o frade olhando empostadamente para Francisco Abiaru.

O capitão logo se enfastia da extemporânea disputa e pergunta o que o padre deseja, que o mandou chamar, invertendo a ordem natural das ordens se ele é o capitão e autoridade maior.

O frade indica Francisco Abiaru.

– Temos grande novidade neste navio. Um escultor.

– Sim, certo, o índio é escultor, já sabia – diz o capitão, olhando espreguiçadamente as pontas das botas. – E foi ele que fez o Cristo, e então? vai-me dizer também que o sol é quente e que os peixes vivem na água?

– Mas um escultor muito especial – afirma o frade. – Um especialíssimo escultor, talvez um herege.

Francisco Abiaru vê que tudo se desenrola com rapidez de um raio, é o padre dando explicações canônicas e estéticas e filosóficas e o capitão ouvindo com crescente gosto, enfim acha algo mais interessante do que se deitar com as mulheres de má vida que vieram escondidas no navio, arrebanhadas na Colônia a troco de uma viagem ao Rio de Janeiro; debatem curiosos assuntos que estes sim fogem à compreensão habitual, e o capitão se ergue e o frade se ergue, e juntos erguidos em algo terrível e culposo. Por fim mandam que tragam para cá o Cristo.

Vem o Cristo, Francisco Abiaru é posto de lado, junto à parede, os braços bem seguros por dois homens porque à voz de trazerem o Cristo para aquele antro ele indignou-se e já se ia avançando contra o frade.

O capitão toma as lentes enfumaçadas e se debruça sobre o Cristo deitado em cima da mesa e na sua indagação vai percorrendo todo o sagrado Corpo.

– Os olhos – indica o frade. – Veja os olhos.

O capitão mira, mira, afasta as lentes, ergue lentamente a cabeça medonha para o padre, olha depois para Francisco Abiaru, olha para os circunstantes; volta-se novamente para o frade:

– Sim, amendoados.

– Podemos pois concluir que os jesuítas ensinaram aos índios que Cristo é um deles – diz o frade com extrema e doce simplicidade. – E que em relação ao nosso escultor nada mais resta do que fazê-lo reconhecer seu erro teológico perante o tribunal competente, para exemplo da cristandade. Desde que vi este Cristo suspeitei e estive durante todos estes dias consultando os livros da segura doutrina e firmei essa convicção inabalável.

Hesita o capitão, chama a um lado o frade e dois oficiais superiores e ali ficam em debate soturno, de vez em quando um deles olha ou para o Cristo ou para Francisco Abiaru, agora sim ele tem certeza de que muito mal acabará sua singradura neste vasto mar oceano, em meio àquele povo execrado. E seu Cristo ali tão pobre e triste, jogado naquela mesa de comer e beber e jogar, exposto aos sacrílegos olhares, ah não, nunca deveria ter-se ele Francisco Abiaru se seduzido pela idéia de irem vender santos de pau em Buenos Aires, eis o resultado da cobiça e da vaidade.

– Familiar do Santo Ofício... – diz o frade – Vossa Excelência, como Familiar do Santo Ofício tem o dever... etecétera... assim que chegarmos ao Rio de Janeiro... etecétera...

Francisco Abiaru reconhece que seus temores são fundados quando após a conferência todos se voltam para ele e dizem que ele está preso até chegarem ao Rio de Janeiro, como se eu já não estivesse, pensa Francisco Abiaru, imaginando as dezenas de bolachas podres que teria de comer e as centenas de baratas e ratos que passariam sobre seu corpo até chegarem à Babilônia.

E assim, aos empurrões e barrigadas, volta metido para o compartimento de suas torturas, preso e só sem seu Cristo e lá fora todos a discutirem e decidirem sobre ele e ele com a vaga idéia de que incorreu em algum gravíssimo e português pecado e para o qual a condenação à forca será a mais suave pena que podem encontrar nos livros. Mas ninguém nada lhe diz, como naqueles casos de grave enfermidade em que o mais ignorante é o doente.

E as noites e os dias passam, as Missões cada vez mais longe e ele Francisco Abiaru cada vez mais perto daquilo que, pensa, será no mínimo a sua morte.

## No Rio de Janeiro

Toda morte decidida, contudo, além de seu natural e mortífero terror, sabe ser caprichosa em sua errância, o que aumenta a ansiedade daquele que sabe a ela ser condenado. Por isso tantos prisioneiros a desejam antes do tempo, para fugir ao caráter impreciso do Evento, mesmo que isso signifique dias ou meses a menos de existência neste Vale.

Mas Francisco Abiaru o que menos deseja pensar é na morte, os pés fincados no cais do Rio de Janeiro, a contemplar agora os dois inofensivos e grandes seios que emergiram a pleno céu e que se revelam como as tetas da figura de proa da Galera Nossa Senhora da Glória, placidamente fundeada neste porto infecto. Por tanto me assustei, diz-se, aliviado pela constatação de que sereias só existem mesmo na cachola dos desocupados que se divertem em inventar histórias para enganar índio e criança. Olha ao redor: de fedores inundada, triste em sua miséria e esplendor, a Babilônia apresenta-se espalhando espinhas de peixe e casca de banana nas lajes do cais, negros coçando suas pústulas encostados às paredes, dignitários de fardões verdes e suarentos a passar lenços encardidos nas testas, escravas fritando bolos em banha rançosa, mulheres seminuas agarradas a homens perdidos, mulatos que vendem água, cavalos largando bosta sob os narizes das autoridades que às vezes assomam alagados em suor às sacadas do Largo do Carmo, carruagens abafadas que transportam donas brancas como leite a abanarem-se com leques multicoloridos, padres estáticos a olharem cães e cadelas fornicando no furor do cio, a podre, degenerada e bíblica cidade: nem isso consegue dissipar o fascínio pela abjeta beleza da Urbe implantada entre morros azuis e praias volúveis onde se espetam quase desenhadas palmeiras arriando seus ramos ao mormaço que impregna o ar vadio e indolente com uma languidez que lembra passivos gestos de mulher prenhe. Mais um casario coberto de telhados desparelhos como em luta, centenas de torres campanárias, fumarolas aqui e ali, um certo bafio de doença e cachaça: eis a capital dos portugueses no Brasil.

Prisioneiros não se podem dar ao luxo de requerimentos ou petitórios desassombrados; mas Francisco Abiaru só se dignou a descer em terra firme (o que lhe possibilita estar assim tão à fresca contemplando o Rio de Janeiro) depois que viu seu Cristo intacto ser baixado das amuradas, porque dEle não se despegava. É claro que houve muitos negaceios por parte do capitão e do frade, mas depois de celebrarem outra filosófica conversa, concluíram que não sendo ele Francisco Abiaru um prisioneiro de ordem decretada e sim apenas de boca e que afinal o Cristo lhe pertencia, mesmo sendo um *corpus delicti* e talvez (e isto é mais provável) percebendo que tratavam com um parvo ("Talvez nem faça por mal". – "Cale-se!"), consentiram que índio e Cristo descessem no mesmo ímpeto, tal como haviam sido recolhidos das águas. E o Sagrado Corpo está ali, a seu lado, pousado numa carroça, a mesma para a qual empurram Francisco Abiaru, as mãos atadas em cadeias-correntes.

– Te fode, índio – grita o soldado Romão, ainda não totalmente recomposto das vergastadas que lhe deitaram ao lombo, ao que Francisco Abiaru retruca o mais sórdido palavrório português que aprendeu em toda a singradura desde o rio de la Plata até este porto. E se acomoda nas tábuas rugosas e eivadas de pontas de cravos que assoalham a carroça puxada por um cavalo a quem tratam por Fidalgo, essa gente sabe desforrar-se.

Mas a carroça foi pedida apenas por simbologia de prisão, porque pouco andam e já Cristo e índio são jogados no mais pobre aljube destas paragens pagãs, enclausurado numa enxovia recoberta de pedra no chão, no teto e nas paredes, onde mal se pode espichar as pernas e onde há apenas uma abertura quadrada do tamanho de um lenço e provida de barras de ferro grossas como cajados por onde ele alçando-se pode ver a poucos pés de distância uma parede da mesma pedra escura e por onde cruzam algumas cabeças, pontas de bacamarte e cascos militares e por onde entram sons longínquos de cornetas inabilmente sopradas, em tudo diversas das maviosas cornetas que ouvia na orquestra da Missão. Pelo menos tenho o meu Cristo, diz-se Francisco Abiaru, ao colocar a imagem de pé, a cabeça apoiada na pedra. E ajoelha-se, faz o nome-do-padre muito lentamente e reza um *Gloria Patri*, uma *Salve Regina*, um *Dixit Dominus* e todas as mais orações que conhece de cor, terminando com um Padre-nosso em sua língua, para maior conforto e arremate. Feito o que, senta-se a um canto onde há palha, dobra os joelhos neles, suportando os cotovelos e estes amparando o rosto, à espera de que algo aconteça.

Nada acontece, ou melhor, nada acontece ali dentro, porque lá fora há um tinir contínuo de esporas e ferraduras de encontro ao lajedo, risadas malignas de carcereiros, gargalhadas obscenas de putas, ruídos de talheres de encontro a bacias, arrotos e, em meio a tanta desordem, alguns fracos gemidos bem próximos, talvez quase à porta. Tudo entretanto se suspende quando soam as *Vésperas*, momento em que Francisco Abiaru fica em dúvida se deve ou não obedecer aos tangidos portugueses. Não, decide que não, sabe-se lá com que ferro roubado foram fundidos aqueles sinos, quando na Missão ele bem sabia que os sinos eram lá mesmo feitos e soavam como a voz dos céus. Na sua indecisão se passa um breve tempo, e logo os ruídos voltam, desafogados e soltos, e alguém abre uma garrafa com grande estrondo, ao qual se segue um gordo peido, da mesma altura e tonalidade, numa afinação de orquestra.

– Nojentos! – grita em direção à porta.

Uma fisionomia redonda e vermelha, de olhos muito unidos, aparece à janelinha da porta, um narigão enfia-se para dentro.

– O que estás a dizer, ó índio? – ameaça, insinuando que a repetição do insulto pode regenerar em grave estrago, mas, estimulado pelo desafio, Francisco Abiaru repete o insulto, estalando a palavra com a sonoridade do estrondo há pouco ouvido. A porta se abre e à fisionomia se completa um corpanzil de centenas de libras, medonho como um ciclope e que traz um barrote de cedro e sem mais esta vai desancando em Francisco Abiaru, que rola pelo chão, que pula e se escapa, mas não de todo, porque o cedro rigoroso parece ter vida própria e persegue os pontos descobertos com a voracidade de quem não come há muito, golpeando os ombros, percutindo as costelas e já o lendário monstro se prepara de pé, o barrote erguido para dar a última e definitiva porrada na cabeça de quem devia proteger quando Francisco Abiaru, avaliando o instrumento fatal, e seu cérebro artístico sendo mais ágil, joga-se aos pés do bruto pedindo perdão, que não faça aquilo com ele, pelo leite da Virgem! A essa voz de leite o animal queda-se indeciso e, depois de um rosnar quase inaudível, baixa vacilante o porrete, olha Francisco Abiaru.

– Bom, já apanhou o que chega – diz a alguns homens que se juntaram à porta.

Francisco Abiaru agarra-se àquelas pernas nojentas e, amesquinhando-se até o último, agradece beijando os grosseiros tamancos.

– Chega, índio, chega! – quer safar-se o agressor, mas Francisco Abiaru sendo humilde no gesto e na voz pede a ele que deixe ali com ele o barrote, para que ele sempre o veja e se arrependa das bobagens que disse. Sem maior cuidado o homem atira a clave ao chão:

– Pois que faças isto mesmo – e retira-se, e quando fecha a porta Francisco Abiaru percebe, através do vão da janelinha, que ele ainda está pensando se ganhou ou perdeu aquela disputa.

Francisco Abiaru aguarda até estar só, geme suas dores (nem tantas, que já se acostuma), pega o barrote do mais fino cedro, avalia a direção dos veios da madeira e suspende um olhar agradecido e cúmplice ao Cristo de olhos tão rasgados, muito já me ajudaste, faltam só agora os macetes, as goivas e os formões; não precisam ser de tão boa qualidade como este cedro, mas tenho minhas mãos que completam o trabalho e com Teu auxílio nada me faltará.

Deita-se sobre a palha, fecha os olhos e espera o sono, coisa impossível, porque as desprezadas dores dão sinal de si pois afinal ninguém apanha daquela forma sem que a humana natureza se ressinta mais cedo ou mais tarde e são as costas e é o joelho e é o peito que latejam desesperados acompanhando o ritmo do coração. Muda o jeito, volta-se de costas, mas a palha é irmã da lixa, e de modo algum se aliviam os reclamos da carne; concluindo que será uma longa noite levanta-se quando soam as *Completas* e a noite abafa e obscurece tudo o que pode ser visto. Ah destino o meu e o Teu, diz ao Cristo, tateando o Corpo, mas, lembrando-se do quanto Ele sofreu por nós na cruz, Francisco Abiaru envergonha-se de estar de queixas quando o que melhor deveria fazer era dedicar suas dores às almas do Purgatório, tão precisadas. E vai começar o Ato de Contrição quando a janelinha se abre e junto vem uma luz de candeeiro e o mesmo narigão e os olhinhos juntos e o homem lhe diz:

– Um padre está aí, índio, ele vai entrar.

## Moisés Israel

E como padres são coisa de temer, Francisco Abiaru recolhe-se para o canto das palhas, a vista acesa já olhando o pedaço de cedro que antes de virar escarvado de imagens pode ter um destino menos nobre, como amassar as guampas de um padre português. Mas olha o sacerdote e um gelo paralisa seus pensamentos sombrios e só o que sabe é arrojar-se de joelhos ante a figura esguia e elástica, preta de cima a baixo e que lhe estende a mão para o ósculo.

– *Padre-mestre! padre Alonso! Dios mio, no es verdad* – ao que o padre ergue-o pelos ombros e cara a cara, faz com que o mire bem.

– Não sou Padre-mestre, nem conheço tal padre – diz no maldito idioma português e depois manda ao carcereiro que os deixem sozinhos e que deixe também o lume.

Francisco Abiaru olha para a cara subitamente suavizada, de homem moço e olhos grandes que brilham como botões de ágata, um ar recendente a sacristia e incensórios, um modo errante de tímida bondade, através da qual se percebe uma impetuosa força pronta a ser desencadeada a favor de qualquer causa em que acredite.

– Não sou Padre-mestre, sou o padre Vasco Antônio da Costa, embora me chame Moisés Israel ben Isaac. Minha sotaina te fez me confundir com outro irmão da Ordem.

– Jesuíta? – pergunta Francisco Abiaru, maravilhado com tantos acontecimentos – *mas como, como...*?

O padre Vasco Antônio ou Moisés Israel ou quem seja põe a mão em seu ombro:

– Há um tempo para tudo, como diz a Lei, e pouco a pouco tu vais saber de tudo; por ora te digo que há muitas coisas em que somos iguais e nem desconfias. Mas me diz: o que te falta? como estão te tratando? e onde está a imagem de Cristo?

Cedendo à verdade de que Cristo é muito mais importante que ele próprio, Francisco Abiaru primeiro responde a última pergunta e pede ao padre que apenas se vire, que tem o Cristo às suas costas. O padre Vasco Antônio volta-se, ergue o candeeiro à altura do Sagrado Rosto e o examina com detalhe, aflora delicadamente os dedos sobre a madeira e se fixa nos olhos, numa atenção concentrada, solene e respeitosa, como nunca ninguém dedicou àquela simples figura, nem o padre Alonso, que de tanto esculpir e ensinar a esculpir enxergava as imagens quase distraído, embora sem perder a veneração.

– Tu mesmo que a fizeste? – Vasco Antônio pergunta, depois de muito tempo perdido no labirinto das idéias.

– *Sí* – diz Francisco Abiaru, pronto para qualquer coisa.

– Meus cumprimentos. É uma das mais belas que já vi.

O padre pede a Francisco Abiaru que se sente, ele também se acomoda no chão e ali tem início uma conversa longa, em que Francisco narra sua história azarenta e toda sua pregressa vida nas Missões e o padre Vasco Antônio, sendo mais reservado quanto a si, esclarece muitas coisas veladas, como uma poderosa e intricada Ordem acima de qualquer ordem, odiada e temida, que julga, prende e mata e é dirigida ninguém sabe como e que se dedica a manter a pureza da fé, e que todos na Colônia portuguesa querem mais é destruir, sendo ela entretanto indestrutível como o Demônio, tudo vê tudo ouve enxerga e que tem Familiares (nome tão enganosamente suave) por todos os lados cuja função é delatar suspeitos e que tem mais poder que o

Rei, e a cujo nome todos tremem de pavor e que leva o cálido nome de Santo Ofício ou mais vulgarmente Inquisição. E que ele Francisco Abiaru assim como ele Padre Vasco Antônio ou Moisés Israel estão ambos enredados nas malhas e alçapões dessa gente, e que ele padre está no momento beneficiado por um período de graça em que deve provar muitas coisas improváveis e se pode andar e sair à rua é apenas porque lhe deram licença, mas imagina que isto não vai acontecer por muito tempo. E fala no padre Antônio Vieira, o maior orador de todos os tempos, superior a Cícero e Demóstenes e um católico provado: viu-se também às voltas com tal Domínio, e esteve preso e denunciou as horríveis condições dos presídios do Santo Ofício. E ainda disseram que era judeu igual a ele, Vasco Antônio. A esta palavra odiosa Francisco Abiaru se retrai, nunca esteve perto de homem dessa raça que matou Cristo.

– Não precisas ter medo – diz-lhe Moisés Israel, com uma resignada expressão de quem muito já se habituou a esses retraimentos repentinos e, dando gesto à palavra, põe o braço sobre os ombros de Francisco Abiaru e ele índio não sentiu o pavor natural que deveria ter sentido e do padre emanava um frescor e uma limpeza que provinha antes da alma do que do corpo e o medo logo se dissipou, temer o quê?

– Deves ter tento nos seguintes cargos e ofícios, Francisco: Inquiridores, Deputados, Notários, Ouvidores Eclesiásticos, Meirinhos, Promotores, Procuradores das Partes, Alcaides dos Cárceres, Visitadores das Naus, Qualificadores, Comissários, Capelães, Porteiros, *et coetera*. Ouvirás muito esses nomes daqui por diante.

Muitas perguntas estão na garganta de Francisco Abiaru: como pode um judeu ser padre, e sendo padre como é que o perseguem e qual o destino que está reservado a ele Francisco Abiaru e a quem deve temer e a quem deve amar e outras tantas, mas o que só sabe fazer agora é recolher-se ao peito generoso que o acolhe, e nada mais lhe resta fazer do que aceitar a proteção e o amor que lhe são oferecidos e ao final pergunta se o padre pode conseguir algumas coisas de que ele precisa, simples e fáceis, formões e malhetes e um lápis. O padre mete a mão entre os recônditos escaninhos da sotaina e tira um lápis:

– Isto já tens – e o entrega a Francisco Abiaru, indagando se ele sabe escrever.

– Sei, mas o lápis não é para escrever, sim para desenhar na madeira. – E quer demonstrar ao padre sua habilidade, mas o enternecimento por sua própria sorte é maior e com o lápis traçando firulas e bosquejos no ar pergunta afinal por que está preso.

– Não sei também, mas parece que algo que tem a ver com o teu Cristo. Tudo é secreto. Te disseram alguma coisa?

Francisco Abiaru relata vagamente o que sabe e o que viu, a suspeição a respeito dos olhos amendoados do Cristo, o diálogo do frade com o capitão, mas isso é motivo? O padre volta a erguer a luz e mira mais uma vez os olhos do Cristo.

– Sim, pode ser que tenham implicado com esses olhos tão diferentes... mas por detrás disso esconde-se a raiva dos beneditinos contra os jesuítas que foram teus mestres. Estão sempre à procura de pretextos para incriminarem a nossa Ordem. É bom estar preparado para tudo. Mas não estarás só. Tens ao Cristo e tens a mim. E, com menor santidade mas padecendo igual, estão também aqui recolhidos gentes de todo o feitio, feiticeiros, mulheres de má vida, ladrões, blasfemadores, sodomitas, inventores de máquinas, padres amancebados que dizem que o comércio carnal não é pecado, judeus ainda não convertidos, muçulmanos que estiram seus tapetes ao solo e oram a Maomé, negros que não abandonam seus deuses da África, hereges de Calvino, João Huss e Lutero, e adivinhadores do futuro, tudo gente recolhida por essas ruas e matos. – Moisés Israel vai enumerando pecados, vícios e taras, algumas nunca ouvidas nem suspeitadas, ou melhor: conhecidas por outros nomes, conforme o jesuíta explicava pacientemente às suas dúvidas, ampliando o rol das inúmeras possibilidades da maldade humana. E estes João Huss e Calvino, o que eram? ah, sim, gente que renegava o Santo Padre, o Papa, e dizia que os cristãos podiam louvar a Deus segundo suas preferências e seus estilos, e criaram outras religiões e por isso foram amaldiçoados.

Quando Francisco Abiaru quer saber se Lutero está ali também preso, o jesuíta ri, e diz que não, que já faz mais de cem anos que Lutero morreu para este mundo, e que nem por isso deixa de estar muito vivo.

– Mas afinal de contas, o que faz toda esta gente aqui?

– Espera, toda esta gente espera.

– Mas espera o quê?

– Nestas terras do Brasil sempre se está esperando alguma coisa. – Ouvem soar no sino próximo as *Completas*, fato muito estranho, pois Francisco Abiaru recém ouviu as *Vésperas*, e Moisés Israel explica que o sineiro da Capela Real apressa as horas canônicas porque, sendo bêbado, trata de adiantar as horas para ter mais tempo de correr às tabernas da Praça.

– Este não espera – diz – tem suas razões viníferas e alcoólicas. Mas ninguém lhe faz mal, porque afinal todo mundo aproveita. É uma coisa que ainda desconheces, índio, que nestas terras se chama *jeito*, um singular modo de não conduzir nada a sério e todos tirarem algum lucro.

– "*Yeito*" – repete Francisco Abiaru, fascinado pela mágica palavra que até as horas canônicas transtorna.

– Vê, índio, se estou aqui, conversando contigo, é porque arranjei um jeito, pois é totalmente proibido pelas leis portuguesas, mas leis portuguesas chegam ao Brasil assim como seus vinhos: muito aguadas, muito insossas.

Pensando na podridão daquele aljube, nas lamentações e gritos e palavradas que ouve a todo momento, como se ali as pessoas estivessem submetidas a grandes dores, e recordado das lambadas do carcereiro, estas sim muito práticas e furiosas, Francisco Abiaru considera que talvez ele próprio e seus companheiros de prisão ainda não saibam bem usar o artifício de que se valeu o padre, caso contrário estavam libertos.

O jesuíta de novo olha o rosto do Cristo:

– Mas não te alegra muito, Francisco, pois no aljube se espera um fato bastante próximo ou bastante longínquo, mas certo, que é a Visitação.

– Visitação de quem?

– As autoridades portuguesas do Santo Ofício, por não acreditarem muito em seus próprios homens aqui no Brasil e nem no Bispo e nem no Governador-geral, supondo não sem razão que logo se corrompem e caem na folia, mandam Visitadores, delegados da mais absoluta confiança da Igreja e do Rei, que vêm regularmente às colônias verificar o estado das almas, saber quem está pecando, quem não está, quem é herege, quem não é, e por aí vai.

– E o que fazem com os culpados?

– Mandam para o Reino e lá os queimam vivos em fogueiras que ardem nas praças públicas.

No imenso silêncio que veio após, Francisco Abiaru sente que se lhe seca toda a água da boca e o coração começa a bater como tambores tangidos por músicos pagãos. O jesuíta pega um fio de palha:

– E se tu imaginas que estás neste aljube à espera da Visitação, eu diria que és um homem esperto. E como é feito um rol mensal de todos os recolhidos ao aljube, e este rol é mandado para Lisboa, talvez seja este o único lugar desta terra onde as coisas devem ser levadas mais ou menos a sério, isto é: uma vez aqui, aqui fica, pois os Visitadores vão acumulando as relações e quando aqui chegam, querem que se dê conta de todo mundo. Por isso não se escapa daqui, nem o jeito consegue alguma coisa.

Há algo que inquieta Francisco Abiaru, talvez de modo ainda mais forte que fogueiras, e expõe ao jesuíta.

– Ora – ele responde, quebrando o fio de palha entre os dentes – os pecados comuns são confessados ao padre, que os perdoa, absolve, manda rezar uma fileira de ave-marias; já os pecados contra a fé são mais graves, porque envolvem uma disposição de consciência extremamente perigosa, e não adianta confessá-los, pois para a confissão se necessita a mais perfeita comunhão com a fé; daí porque tais desvios são investigados pelo Santo Ofício. O arrependimento de nada adianta, como nos pecados comuns. Mas como te disse, Francisco, tu não estás só. Tenho conhecidos e ainda algum dinheiro, e a primeira coisa que farei é tentar que não te incluam na relação.

O padre parece estar falando a verdade, pela desenvoltura das palavras que não são próprias de quem mente, mas mesmo assim Francisco Abiaru pergunta por que justamente o padre quer defendê-lo a ele, um índio desconhecido, quando há tantos que gemem neste (ah palavra agora odiosa) aljube.

O jesuíta não vacila:

– Em primeiro lugar porque tu és um ser humano, e em segundo porque é filho nosso, criado e ensinado pela nossa Ordem de Loyola, e em terceiro lugar porque me agrada lograr o Santo Ofício e os beneditinos, como já fiz outras vezes.

É o momento em que a porta novamente se abre e o carcereiro cara-de-lua e olhos pequenos adentra com um prato de comida.

– É para ti, índio, e vê se não reclama – diz, largando o prato no chão, junto ao Cristo, a quem dá uma olhada de soslaio.

Recende bem, aquela comida, e o gelo repentino no estômago faz com que Francisco Abiaru se lance ao prato, trazendo para entre as pernas, na intenção de devorá-lo até o último farelo. Uma súbita delicadeza faz com que se interrompa e ofereça ao padre um bocado, ele quem sabe está também com fome.

– O que te deram aí, Francisco?

Vendo melhor o conteúdo gorduroso, Francisco responde:

– Farinha de mandioca, um pedaço de pão e carne de porco.

O jesuíta contrai-se:

– Não, quando muito posso aceitar um pedaço do pão, e só para que não comas sozinho. A carne de porco é toda tua.

– Mas veja, padre, está cheirosa.

– Se fosse qualquer carne talvez, mas carne de porco não posso aceitar, é impuro, como está no Livro do Levítico que permite comer apenas o animal que tem unha fendida e rumina. Conheces os Livros do Antigo Testamento?

– Não – diz Francisco Abiaru, louco para atracar-se à comida. – Nas Missões os padres liam os Evangelhos para nós. O resto era proibido.

Moisés Israel toma o pão que Francisco Abiaru lhe dá, parte-o em dois e entrega a maior parte a Francisco Abiaru:

– Faz pois como tua natureza pede. Ainda há muito que aprender.

A comida tem um sabor de fumaça e óleo rançoso, mas enfim é algo quente que desce para as entranhas, e é bastante para ir dissipando o aperto que Francisco Abiaru já sentia atenazando as têmporas. Come com gosto, desfiando a carne de porco e aproveitando os momentos reflexivos do padre para metê-la na boca; com sua parte do pão limpa, até a última gota, o molho, até que no prato nada mais resta. Moisés Israel pergunta-lhe se estava bom. Francisco Abiaru hesita:

– Sim... a carne não estava muito boa, comi só porque estava com fome.

O padre sorri, pondo a mão na cabeça do índio:

– Não vás agora acrescentar mais pecado à consciência; ademais, isso de não comer carne de porco é coisa minha e do meu povo.

– Mas qual é o seu povo? – Francisco Abiaru pergunta, confuso.

Moisés Israel, ou Vasco Antônio pende a cabeça e ampara a testa com as mãos:

– O que pensas? qual é o meu povo?

– Português?

– Sim, e talvez brasileiro, e talvez católico, judeu. Os católicos me acusam de judeu, e os judeus não querem saber de mim. Mas vê: uma coisa é a fé, outra coisa é o costume. Tenho a fé cristã, fui batizado aos nove anos junto com meus pais, domino as verdades da Revelação e aceito os dogmas, mas o costume é coisa que não se perde nem se tira, muito menos algo da fé antiga. Quando ainda não estava suspenso *a divinis* e podia consagrar as Espécies, nunca duvidei da presença física de Cristo entre minhas mãos, mas quanto ao resto? É preciso sair-se, visitar os amigos, percorrer as ruas, viver, enfim, e para isto é preciso obrar com um procedimento que é visto, observado, conhecido e sempre recriminado. Até de me esquivar das igrejas me obrigo, sendo tantas nesta cidade. Ao avistá-las, cruzo a rua e passo ao largo, para que não pensem que me estou atrevendo a entrar e ministrar os sacramentos a quem precise. Daí porque agora parti este pão com tanta alegria e dividi contigo. É como se fosse uma comunhão sem as fórmulas. Tu não podes imaginar a dor que isto significa, é rasgar o coração em pedaços. Tu, índio, católico-apostólico-romano, batizado ao nascer, nunca soubeste de ninguém que passasse por estas dúvidas.

Não ele, talvez, mas em tantas noites de plenilúnio e calor sufocante, quando o pó vermelho das Missões toldava o ar com o rubor de inúmeros sangues vertidos em tantas lutas contra portugueses demoníacos, e quando o silêncio das árvores fazia pressentir desgraças e tormentos, e quando os tétricos guinchos dos morcegos e o pio melancólico das corujas serviam de cantochão ao imenso, grande silêncio que encobria o terror da madrugada longínqua, Francisco Abiaru, acordado por alguma sede insana, por fim levantava-se e chegava ao pátio dos artífices escultores; muitas vezes enxergou o lento vulto do Padre-mestre, quieto, as mãos às costas, a cabeça pendente, indo e vindo nos passeios alpendrados, no passo errante de quem caminha apenas por caminhar, disfarçando as idéias. Trazia a sotaina baixa até a cintura, deixando a descoberto um peito que a fragilidade de suas ocupações não faria supor tão forte e ainda másculo, hirsuto como o couro dos animais bravos. Não poucas vezes enxergou-o dirigir-se à igreja e, compondo-se, arrojar-se de comprido ante o altar-mor e ali ficar horas a fio, como morto, os braços abertos e as mãos espalmadas sobre o frio piso da nave, repetindo em seqüência fórmulas e mais fórmulas em latim, quantas vezes o *De Profundis Clamavit, Domine* e sendo Francisco Abiaru um bom entendedor e tradutor e intérprete de tais fórmulas e sabendo portanto o que significavam de terror, aflição e angústia, recuava com todo o respeito e ali deixava o padre, sendo tanta a vontade de fazer algo por ele, e sua ignorância e vergonha não podendo; ia dormir, ou tentar dormir até que soavam as *Laudes*, quando erguia-se para mais um dia nas oficinas, e o padre desta madrugada agora se apresentava fresco e limpo, de renovada fisionomia e, tomando a goiva, indo de aprendiz em aprendiz, ia desbastando um pouco aqui, arredondando outro pouco ali. Não era o mesmo desta noite sem fim, era outro, renascido como Cristo de Sepulcro. Mas as noites de horror sempre iam deixando sua marca em uma ruga mais acentuada na testa, na comissura dos lábios, nos cantos das vistas, e o olhar sempre e irremediavelmente ia perdendo algo de seu viço e determinação. Sim, Francisco Abiaru sabia o que eram as dúvidas.

– *Assentior contra me dictis*, querem que eu afirme ante o Ouvidor-Geral Eclesiástico – diz Moisés Israel. – Uma simples frase, *concordo com o que me acusam*, e no entanto ela não me sai da garganta, por ser uma mentira.

Francisco Abiaru repete, como num sonho, sem pensar, pois o pensar ainda estava nas Missões:

– *Assentior contra me dictis, assentior contra me dictis*. O que são palavras? O que são palavras? são só palavras, padre – ele por fim diz, acordando-se.

Moisés Israel pergunta-lhe se ele sabe o que significa a *restrictio mentalis*. Sim, sabe, e muito: não se deve ter em mente outra coisa senão a verdade do que está sendo confessado, sem que haja discordância entre o que se diz e o que se pensa. Caso contrário a confissão não tem nenhum valor, e a absolvição não é aceita por Deus. Assim, confessar um pecado na intenção de voltar a cometê-lo, isto é uma *restrictio mentalis*.

– Vejo que tu sabes muito mais do que imaginei – diz Vasco Antônio ou Moisés Israel – e te cuida por isso;

ser tolo aqui é mais útil, é uma virtude que pode levar à complacência dos oficiais do Santo Ofício. Em geral os tolos escapam à Poderosa Mão, e quando muito são submetidos a vergastadas em praça pública e obrigados a usar o sambenito por um, dois anos, além de uma tiara com orelhas de burro. Mas isto são outras novidades, e acho que me estou apressando. Esquece os sambenitos e as tiaras. Em todo o caso, nestes brasis a inteligência é um dom do Demônio.

O padre alça a cabeça, Francisco Abiaru ouve gritos no interior da prisão, exclamações num áspero idioma, um arrastar de cadeias, descomposturas recíprocas, a voz do carcereiro mais alta que os trovões de Júpiter, açoites sem dó nem compaixão; o padre vai à porta, abre-a, por ali passa um cortejo de gente imunda arrastando um infeliz de chamejante cabeleira conduzido pelos ombros magros, os pés desnudos e secos escalavrando-se na pedra, o corpo um trapo encardido, sendo embora a pele mais branca do que a mais cândida sobrepeliz. O carcereiro cara-de-lua pára um instante, perplexo pela infração da abertura da porta, mas o tempo suficiente para Francisco Abiaru confrontar seus próprios olhos com os olhos do cativo, percebendo neles talvez loucura, talvez indignação, talvez apenas dor, que é a maior e mais infamante das loucuras. Francisco Abiaru quer levantar-se, abre seus braços acolhedores em direção ao prisioneiro, mas o cara-de-lua fecha abruptamente a porta, e a cena da dor substitui-se pelo madeirame e pelos ferrolhos da porta, estes sim insensíveis a qualquer sofrimento e angústia.

– Quem é este? meu Deus, quem é este? – pergunta abismado ao padre.

– Um holandês – responde Moisés Israel – está aqui há cinco anos.

– E faz o quê?

– Como todos, espera e apanha. Acostuma-te, índio, isto é algo que acontece todo o dia, até teus olhos se acostumarem. Aqui apanha-se por tudo e por nada.

Bem sei disso, pensa Francisco Abiaru, olhando o barrote de cedro posto ao canto da cela. A compreensão da própria impotência é como um muro de milhares de pedras que de repente desaba sobre os ombros, e Francisco Abiaru entrega-se a uma pastosa e invencível fraqueza:

– Antes morrer, padre.

– Antes viver, antes rezar e conspirar. E exercer a tua arte. Já tens o lápis. Jamais a morte. Se Cristo morreu para nos dar a vida, temos de suportá-la e, se possível, com toda alegria e ciência que pudermos.

Os gritos cada vez mais roucos do holandês penetram por todas as frestas da porta, e Francisco Abiaru tapa os ouvidos, cai de bruços, os gritos não cessam, reboam pelas abóbadas do corredor, ganham a rua, espalham-se pelo mundo, chegarão aos ouvidos do Papa?

– É melhor que vá, padre. Hoje não temos mais nada a conversar.

– Entendo, Francisco. Mas hoje é apenas o primeiro dia e a primeira noite. – E, fazendo um nome-do-padre na testa de Francisco Abiaru, sai com tanta suavidade como entrou. A palha da cela agora já não é um leito de acúleos, mas um confortante ninho que se amolda aos braços e pernas e, como um ser vivo e maternal, abraça o corpo de Francisco Abiaru.

## Pactos com o demônio

Com as luzes do dia adentrando a janelinha, deitando uma cor podre, triste e cinzenta às paredes da cela – e com o Sonido, as *Matinas* tardiamente tocadas, fruto da longa recuperação noturna do sineiro, Francisco Abiaru desperta e constata: o abraço maternal acabou por revelar-se um selvagem fervedouro de pulgas que durante a inconsciência do sono lhe roubara metade do sangue, deixando-lhe a pele pipocada como se lhe tivessem cravado mil agulhas, alastrando constelações de pintas encarnadas por todo o corpo e pelo próprio rosto: ao passar os dedos sobre a testa, sentiu-a irregular e cheia de protuberâncias dolorosas que deixaram restos sanguinolentos nas pontas das unhas. Pulgas portuguesas, ladras e excomungadas, nojentas, gordas e viscosas que de tão fartas nem saltam, não conseguem escapar das solas das sandálias de Francisco Abiaru que as esmaga de encontro à pedra, pontilhando-a de borrões escuros do tamanho de uma medalha de Santo Inácio, causando estrépitos furiosos que fazem a carantonha balofa do carcereiro chegar à portinhola, a dizer se ele índio quer pôr abaixo a prisão com picaretas e martelos que para esse fim são apropriados. Francisco Abiaru quer mais é seguir batendo e matando, de preferência alastrando seu ódio à cara debochada que aparece no quadradinho, derrubar abaixo toda a arrogância e cupidez lusitana que, além de mandar seus prepostos e esbirros humanos a rapinar os Povos das Missões, mandam também seus insetos com o mesmo propósito. Mas o carcereiro nem se dá por achado e, rindo com a metade dos dentes em falta, diz-lhe que o melhor é rezar ao seu Cristo para que o proteja das mordidas, ao que Francisco Abiaru, imediatamente desperto para a Presença a seu lado, arroja-se de joelhos, faz o sinal-da-cruz, reza o *Pater Noster*, a Ave-Maria, o *Credo*, o *Gloria Patri* e aquela oração que sempre reunidos rezavam no Povo, já desponta o astro do dia, imploremos a Deus de joelhos, peçamo-lhe que nos atos deste dia nos preserve de todo o mal, que ponha um freio à nossa língua para nos guardar do horror das discórdias, que cubra nossos olhos como um véu para que não se alegrem nas vaidades e assim, quando o dia chegar ao seu declínio e o curso do tempo trouxer a noite, conservados puros por nossa vida mortificada, cantemos um novo hino à Sua glória. Ao Rei dos séculos, imortal e invisível, ao Deus único, honra e glória para sempre, Amém.

Um pressago temor enevoou suas idéias: tantas bocas que nas manhãs do Povo haviam cantado aquelas belíssimas loas e chegavam à noite caladas pelo sopro da Morte, quantos joelhos que, dobrados em oração ao amanhecer ante o altar, eram tocados pelo sol poente já rígidos e frios na posição eterna do Descanso, considerou tantas desgraças, tantas, que os dias traziam: picadas de cobra nos campos que coletivamente aravam sob a proteção de Santo Isidoro posto sobre um andor em meio ao campo, sem pálio; inchações repentinas do ventre que nem as agüinhas dos padres curavam; calhaus que rolavam endoidecidos das altas seixeiras de onde extraíam as pedras que lentamente empilhavam umas às outras no desejo da conclusão do belo Templo, honra e glória da religião; certa vez um punhal traiçoeiro que ao invés de rachar em tiras o couro posto a secar, enterrou-se até o cabo na têmpora de um guarani descuidado. Todos estes nunca jamais voltaram à noite, ficando seu agradecimento intacto para ser proferido face a face perante o Pai. E ele mesmo, Francisco Abiaru, teria a sorte, a ventura, a felicidade de cantar ao entardecer novo hino de glória ao Altíssimo, aqui nesta Terra? Esta preocupação, antes vaga e apenas imaginativa, torna-se agora uma possibilidade que faz tremer seus queixos, tira tremulamente o terço do pescoço, finge rezá-lo baixinho para que o carcereiro ainda ali parado não ouça que repete todas as anteriores orações em sua forte língua guarani, mas a artimanha é frustrada, o cara-de-lua pergunta se tem por hábito rezar sempre baralhando latim, castelhano e língua de índio, e por que faz isso se Deus entende só latim e português. Francisco Abiaru responde que não, que Deus entende todas as línguas do mundo, pois criou-as todas na Torre de Babel, e como pode Alguém criar alguma coisa que não entenda? O cara-de-lua diz que pouco lhe importa essa torre de que nunca ouviu falar, decerto era mais uma das mentiras que os jesuítas lhe tinham ensinado. Francisco Abiaru grita que nunca os padres lhes tinham dito uma mentira, a Torre de Babel estava nos Livros antigos do Velho Testamento que os padres contavam algumas passagens para os guaranis, aquelas mais bonitas e certas e não ia ser um português imundo e descrente e degenerado que ia ensinar a quem sabia tantas coisas mais do que ele.

Ao contrário do esperado, o carcereiro abriu sim a porta, mas com gesto compassivo de quem trata com um animal estúpido, cujo rosnar não atinge ninguém; mas apanha o barrote de cedro e diz que se ele índio mostra-se ingrato com quem lhe dera este presente, é melhor retirar o barrote da cela, despertando em Francisco Abiaru o mais fundo dos arrependimentos por ser tão falastrão quando a malícia lhe dizia ser melhor se calar e manter consigo o barrote para o qual via tantas finalidades. E sem pensar tomou o barrote por uma ponta e o cara-de-lua puxando pela outra, meio rindo, meio na troça, e ali estão puxando para cá e para lá quando o carcereiro olha por cima da cabeça de Francisco Abiaru.

Algo acontece na rua defronte.

Francisco Abiaru também olha: uma. Uma não, duas. Não grandes, pequenas. Carroças de eixo único, muito firmes, de madeira de lei (jacarandá, avalia Abiaru), cantoneiras de bronze e, nas junturas das madeiras, cravos de bronze. Cobertas não com pano, mas com mais tábuas lisas, lixadas e envernizadas e bem ao centro dessa cobertura um alçapão provido de duas alças de bronze. Tudo feito não por simples carapina desclassificado, mas por algum mestre marceneiro que muita pecúnia haverá ganho para fazer tão belos portentos que mais parecem móveis finos do que carroças. Tudo na finalidade de proteger preciosa carga, a que decerto teriam acesso bem poucos, pois vinham escoltadas pela frente e por trás por oficiais de uniforme passado e luzidio, montados em indóceis cavalos que espumavam o pêlo de encontro aos arreamentos, escaramuçando, as ferraduras tirando chispas do lajeado.

Tendo de dividir a janelinha com o cara-de-lua, Francisco Abiaru vê que muitas gentes vieram acotovelar-se na estreita rua, curiosos, pasmos, saídos de todos os lados como as formigas, que nunca se sabe de onde saem; cercam tumultuariamente as carroças que, imbricadas entre aquele povo, não vão nem para frente nem para trás. Um oficial de dragonas mais encorpadas resolve sacar a espada, erguendo-a bem acima da cabeça, gritando se afastem seus vadios, deixem a rua livre, deixem a rua livre! O povo, magnetizado por tanto aparato ainda mais se comprime, exasperando o oficial, que com a outra mão tira uma pistola da cintura e ouve-se um grande estrondo de rachar as orelhas, ficando a atmosfera saturada de um cheiro ardido de pólvora. Faz-se um círculo de respeito, mas um negro de gargalheiras ao pescoço, atrevido e audaz pela cachaça que se delata nos gestos incertos, estira a mão para uma alça do tampo da carroça da frente e é o momento em que um medonho urro de dor rompe o breve silêncio, grito terrível como se viesse dos infernos e pouco a pouco logo todos recobram o tino: a mão do negro ainda está crispada e firme colada à alça, mas apenas a mão, pois o braço e seu conseqüente corpo escorrem carroça abaixo, sendo o negro triturado pela grande roda que agora sim toma um pesado e soturno movimento. O oficial arranca a espada que se cravou no tampo da carroça e com a ponta da lâmina afasta a mão que acaba no punho, e faz tudo isso certificando-se de que está sendo visto por toda essa gentalha que deve entender quem é que manda e quem é que obedece nesta terra do Brasil.

Furando o povo, agitando os braços, surge um homem gordo, com fisionomia de anta, aos gritos de que tinham diminuído o capital, ele é um simples comerciante com apenas três escravos e agora quem é que vai pagar o prejuízo de uma peça perdida, ele é comerciante honesto e cumpridor, e a prova de que sempre foi correto está no fato de que este negro aqui – e aponta o monturo de carne e ossos expostos que se estende sobre as vísceras rompidas –, este negro até estava de gargalheiras, sinal que sei tratar estas peças da África com todo o rigor que deve ter um súdito de El-rei D. Pedro, Nosso Senhor; e assim nesse vozerio descontrolado chama a atenção do oficial que, voltando, lhe pergunta afinal quanto custa a peça, ao que o comerciante diz-lhe que tinha bons dentes, tinha canelas finas e bom para todo o serviço de fora, e que se às vezes ia além da cachaça era porque lhe doía a cabeça, porque a tinha muito pequena para conter os miolos.

– Se bebia o preço deve ser reduzido em pelo menos trinta por cento – diz o oficial.

– Bem, duzentos mil-réis ficaria bem pago – concorda o comerciante, com ar de quem acerta negócio.

O oficial manda que parem a carreta, chama outro oficial e manda que escreva algo num papel que é entregue ao comerciante. O homem lê com muita dificuldade, concorda com a cabeça e enfia o papel no bolso do avental e ali fica vendo o comboio pôr-se novamente em marcha, mas agora desimpedido, as pessoas à distância de várias braças. Um soldado, vestindo as roupas mais coloridas que Francisco Abiaru já viu, apanha a mão solitária e a recolhe, jogando-a sobre a pasta de merda, mijo e sangue a que pouco a pouco foi-se reduzindo o negro, moído pelos cascos dos bois da segunda carroça, cujas rodas larguíssimas acabam por completar o estraçalhamento.

– *Dios*! – murmura Francisco Abiaru.

– Deus não, índio. Ouro!

E sem que Francisco Abiaru consiga despegar os olhos arrebatados de tudo que vê, a rua voltando à sua flacidez vazia, o descaso com que as pessoas deixam ali os restos do infeliz jogados à curiosidade cobiçosa dos cães que se aproximam e experimentam em lambidas reticentes a instigante novidade, o cara-de-lua vai explicando, sem que a isso fosse pedido, que aquelas carroças vêm pejadas dos ouros das Minas e de Goiás para serem fundidos logo ali na Casa da Moeda, transformados em barras do tamanho de um braço e remetidas para Portugal. Ele, índio, sem saber, estava quase ao lado de montões de ouro, de toda a riqueza da Colônia, e que agora começa a ser descoberta quase à flor do solo, mas as Minas muito distantes, havia de transpor serras, atravessar o rio Paraíba, transpor a Serra da Mantiqueira, demandando as cabeceiras do rio Das Mortes e ir pelo rio Das Velhas, mais mortos do que vivos, inchados de impaludismos e feridos por flechas cataguás, até enxergar o Pico do Itacolomi. E não se admirasse que as carroças estivessem tão lindas e os oficiais tão brilhantes, é que trocavam à entrada da cidade suas montarias, seus carroções despencados e seus uniformes, rotos, para apresentar-se condignamente perante o Governador-geral, Autoridade que conta, pesa e mede em pessoa tudo que entra na Casa da Moeda.

– É, sim, índio, ouro, isso de esmeraldas e outras pedras coloridas não é mais grande negócio, porque se gastava uma fortuna para cada expedição e o resultado cada vez mais pobre, pedrinhas pequenas e sem valor. –

E mais: muitos já se haviam enforcado nos mais grossos galhos de árvore ao chegarem com dezenas de saquitéis cheios de pedras verdes que, à vista experimentada dos ourives, revelam-se apenas contas de enganar índio. Como repor todo o dinheiro? Por isso o ouro. Ouro é ouro e não se discute. Ouro é dinheiro, enriquece o Estado, torna os reis poderosos, como o nosso D. Pedro, o segundo do mesmo nome, que em Portugal reina sobre todos nós. – Estás ouvindo, índio?

Francisco Abiaru balbucia sem cessar o *Miserere* e o *Dies Irae*, e o cara-de-lua, com um erguer de ombros deixa-o só. Lá fora, aparecem dois negros com um tosco varapau de onde pende uma rede; com resignação de quem apenas faz o que deve ser feito, recolhem os dejetos do escravo e vão depositando na rede, até não sobrar mais nada, a não ser a grande mancha que vai se infiltrando pelas traças de terra entre as pedras do calçamento irregular, de tal maneira que, uma vez findo o serviço e desaparecidos os negros com sua carga, fica apenas no chão um cruzamento nervoso de linhas que mais parecem rios traçados em rubro num mapa.

*Requiem aeternam dona eis Domine,*
*Et lux perpetua luceat eis.*

Senta-se, pega o lápis do jesuíta e, para dissipar o pensamento, toma o barrote de cedro que há pouco disputava com o cara-de-lua e na madeira vai traçando um rosto de perfil, um santo, preparativo necessário ao trabalho das goivas, para quando as tiver. Assim ensinava o Padre-mestre, começar primeiro pelo desenho da figura que se quer esculpir; não muito preciso, porém, porque é necessário deixar que a imaginação acrescente ou diminua algum traço, conforme o desejo artístico do escultor à medida que a obra vai-se fazendo. O risco vai seguindo aquilo que o coração transbordante de Francisco Abiaru manda, desta vez vou deixar que a imagem se faça por si mesma, e de fato vai-se recurvando uma testa fugaz, um nariz esborrachado, uns beiços salientes, um queixo redondo e a mão ainda obrando faz um encaracolado nos cabelos, como lã recém-cortada da ovelha, Francisco Abiaru sabendo agora que sua mão não se deterá até concluir a figura do negro que há pouco viu morrer, um santo como os outros, ou até mais santo, de morte horrível e degradante, nem aos animais davam tal morte nas Missões. Sim, ali há um Santo. Depois de pronta a imagem, porá uma auréola como as de Santo Inácio, São Francisco Xavier e todos os outros. Isto se sua vida, agora tão frágil ao sabor de elementos vagos, não se terminar antes. Mas dará início, terá um objetivo neste cubículo imundo enquanto espera aquilo que todos aqui esperam, sem saber quando nem como o acontecimento sucederá. A morte do negro, pelo menos, não passará em vão. O que mais nos indigna é o que mais força nos dá. Suspende o lápis: de novo o arrastar das cadeias na pedra, de novo os gritos de ontem, corre à portinhola, bate com o punho fechado até que os ossos da mão parecem quebrar-se, berrando com todos os pulmões não é possível tanta maldade, ouve de novo as imprecações no mesmo bárbaro idioma, berra tanto que abrem a portinhola.

– Quem está morrendo? – quer saber de um mulato tão assustado como ele.

– Ninguém está morrendo, é o holandês.

– De novo?

– De novo, ele em vez de ficar quieto fica com essas manias.

Das manias sabe logo Francisco Abiaru: fazer-se ao ar, voar como os sabiás e gaviões, como as andorinhas. Tentação fantástica de ver de novo o homem, que faz Francisco Abiaru pedir ao mulato para apenas chegar à galeria, quer também ver. Atreve-se a isso, afinal a cor do mulato muito não difere da sua, e um mulato deve ser mais compassivo que um branco e assim, por toda a artimanha da solidariedade, consegue esgueirar-se até a galeria, agarrado nos pulsos pelo carcereiro, que a todo momento lhe diz volta, volta, já viu o que queria, não me deixa mal com o gordo. Mas o que vê é de ficar com os pés grudados no solo: encarapitado sobre o beiral da galeria fronteira o holandês, erguendo os braços encadeados, o olhar posto nas alturas, reveste-se de um pano que desce pelos ombros, um gigantesco morcego ensaiando voar, enquanto o cara-de-lua, embaixo, manda que desça, como foi que se soltou, que desça já senão vai ser recolhido à cela.

– Merda à cela! merda ao bispo! merda ao Santo Ofício! – grita – quero minhas linhas, meus paus e meus panos! – agora diz em português tão estropiado como sua fisionomia de louco, os cabelos cor de fogo ondulando ao vento.

Francisco Abiaru aproveita a basbaquice do mulato e com uma sacudida de ombro livra-se, corre até embaixo do beiral, e sem importar-se com a surpresa do cara-de-lua, indaga ao pássaro quem ele é.

– Sou o holandês voador. Não sabe? – responde,

mal se equilibrando nas pernas vacilantes – quem não conhece o holandês voador?

Francisco Abiaru começa a dizer que ninguém sabe voar, vai morrer, mas já o cara-de-lua passa o braço pelo seu pescoço e o vai levando aos pontapés e supetões de volta para a cela, clamando-se que neste aljube já não há mais garantia nenhuma, como é que um preso se solta dessa maneira, e sem maiores contemplações, também agarra o mulato pelo braço e o joga junto com Francisco Abiaru na cela.

– Isto é para aprender a não cuidar dos presos, fica aí pensando na vida.

O mulato, depois de implorar ao cara-de-lua que não faça aquilo com ele, que não é preso, é carcereiro, depois de avançar-se sobre Francisco Abiaru e de dizer que ele desgraçou sua vida quando tinha confiado nele, e depois de ir aos poucos aquietando-se à irremediável condição, pergunta por fim o que um índio está fazendo aqui.

– Esperando – responde. – Eu e Ele – e aponta para o Cristo.

O mulato atira-se ao chão, benze-se:

– Por que sou tão desgraçado, meu Jesus? que fiz eu, que fiz eu?

Francisco Abiaru então lhe pergunta o que ele está fazendo no aljube, se nem cara nem feitio de carcereiro tem. O mulato diz-lhe entre soluços que não lhe pergunte isso, que é uma história muito comprida de contar, e dela nem quer se lembrar, de tanta tristeza que lhe traz e tanta vergonha. Com os aflitos é preciso muita compaixão, provocar confissões através de palavras doces, de modo a deixar o outro confiante e por isso o mulato acaba por alinhavar uma história rasgada, alma que traiu e delatou, ganhando com isso aquele posto de carcereiro. E se assim não fosse era ele próprio que teria sido vítima. E a dor e o remorso não lhe saem das idéias, passa todo o dia pensando nisso, e de noite os sonhos mais escabrosos que um homem pode sonhar, sonhos de degolas e mortes, confusão e mentira.

Nas Missões qualquer pecador acusava-se por si mesmo ao padre, sem que a isso fosse obrigado; se alguém entretanto vinha contar pecados dos outros, o padre o castigava, lembrando que o cisco no olho do outro era muito menor que a trave que o delator não via em suas próprias vistas, e assim o acusador passava a ser ele mesmo vítima de acusação, e a penitência era grave e longa, inesquecível. No Brasil, tudo ao contrário, dá-se o prêmio de um posto a um denunciante. Mas prêmio muito especial este, que rói a consciência, deixando o infeliz na mais torpe condição moral, talvez seja até de caso pensado, estes portugueses têm o espírito tão corrompido que é bem capaz que façam por gosto. Como tirar destes ombros tanta angústia? pensa Francisco Abiaru, vendo que já as lágrimas descem pela cara do outro, um infeliz tanto quanto ele. E para tirá-lo do sofrimento e desviar o curso da história, pergunta-lhe pelo holandês, o porquê de prenderem um louco.

O mulato seca as lágrimas com as costas da mão e diz que não sabe, talvez descobriram que tem algum contrato com o demônio. A essa palavra, Francisco Abiaru recua por instinto, nunca ninguém lhe disse no Povo que se podia contratar com o demônio, como isso é possível? E contratar o quê? O mulato vê-se que não quer dar andamento a esse assunto, fazendo um gesto como quem afasta uma idéia ruinosa e que não deveria ter sequer mencionado.

– Me diz, como é esse contrato? – insiste, chegando-se bem perto.

– Não sei bem, um papel escrito com sangue.

– E o que se escreve nesse papel?

O mulato baixa a cabeça sobre os joelhos dobrados.

– Coisas, não sei, coisas que o diabo promete, fazer algum favor em troca de outras coisas.

Mas quando Francisco Abiaru nada mais espera, o mulato diz que decerto o diabo prometeu ao holandês que um dia ele ia voar. E por isso agora o homem está sempre pedindo linhas e panos, quer fazer uma máquina de voar. Pelas frestas da porta ainda se ouve a confusão formada no pátio, parece que demoveram o holandês de jogar-se do beiral, pois o cara-de-lua está aos gritos dizendo que se ele holandês continuar com esses estropícios que vai pedir ao comandante do aljube que o recolha à cela e sem comida.

– Fala isso só por falar – diz o mulato – os homens importantes mandaram deixar o holandês solto no pátio, e nem me pergunte por que razão, aqui nunca se sabe nada de nada.

Francisco Abiaru está curioso, quer saber se o mulato acredita nestes contratos com o demônio.

– Sim, muito sim, quase todos aqui têm esses papéis e levam bem escondidos, e é verdade que o diabo trata acerto com a gente. – E que ele quase esteve por fazer um, mas deu meia-volta por medo, nunca se sabe o que pode acontecer, o diabo é muito manhoso; até o cara-de-lua dizem que tem um desses papeizinhos, dizem, não se sabe se é verdade. E que não pense que o Santo Ofício não sabe de nada, sabe sim, alguns dos presos têm vantagens que outros não têm aqui há gente solta e livre para fazer o que bem entende, até mulher amigada com o diabo, que se presta a dormir com todos os homens da prisão e que tem toda liberdade porque o gordo tem medo também, e deixa que isso aconteça, na verdade verdadeira o gordo tem medo do diabo igual.

Francisco Abiaru vai deixando que o mulato fale, que descarregue sua consciência e seu saber sobre todas estas coisas do Brasil, um lugar cada vez mais fantástico, onde se prende sem saber por que, e se solta pelos mesmos motivos ignorados, e onde um novo personagem assume a existência tão viva como a vida dos homens, parecendo ser quem de fato comanda tudo, e não Deus. As noites no aljube são tão cheias de fatos como o dia, e não há noite que não aconteça alguma coisa, um enforcamento voluntário, morte por arma branca e mãos amordaçadas, é o diabo que impera nesta terra. O mulato, nesse entremeio, revela chamar-se Inácio Joaquim da Silva, por denominação alheia Afaga-flor, e isto por razões que Francisco Abiaru logo conhece, alguns gestos mais precipitados e por um aflautamento na voz e um olhar de quem aprecia carnes rijas de homem, sendo isto um dos nefandos pecados *contra naturam* que mesmo no Povo acontecia, um pecado dos mais duramente punidos pelos padres; antes distância, antes cautela. Afaga-flor compreende, e volta a falar sobre a tortura que é estar aqui, mas enfim lá fora não é muito diferente, todos quando o enxergam na rua pedem-lhe a carta de alforria, qualquer um, mesmo qualquer negro que conseguiu a liberdade por compra ou bondade de seus amos. Tira do bolso um papel todo sujo e com marcas de muitas abridas e fechadas, e mostra.

– Se sabes ler, lê, sou homem livre, não sou escravo, meu senhor me libertou por uma promessa às Chagas de Cristo para que sua filha casasse com um homem muito rico que ele queria para genro. A filha casou com o homem e eu me casei com a liberdade – chega a sorrir – isso de casar com a liberdade foi um padre que me disse, não é bonito?

O emaranhado de palavras portuguesas naquele papel nada dizem de muito sentido, sendo quase um bordado de letras que se avolumam, crescem e morrem, ao capricho de algum escrivão, e terminam com uma assinatura mordente, áspera como a vontade de quem a traçou com raiva.

– Guarda bem – diz-lhe Francisco Abiaru, devolvendo-lhe o documento – pelo que vi com meus olhos hoje, um escravo aqui vale menos que uma besta.

– Não, às vezes vale mais, depende da idade, do estado dos dentes e do que é capaz de trabalhar.

A porta se abre e um negro depõe ao chão um prato de comida, desta vez papa de milho.

– E a carne? – Francisco Abiaru pergunta, ao que o negro fecha a porta com uma risada.

Afaga-flor espanta-se com o pedido de carne, e mesmo com a afirmativa várias vezes feita de que ontem veio carne, carne de porco, o mulato não acredita, afirmando que nunca aqui se serviu carne para nenhum preso, só o cara-de-lua e um ou dois comem, jura pelo Cristo ali parado. Parece não estar mentindo; não mente quem já revelou tantas coisas tristes de si mesmo. Intrigado, Francisco Abiaru faz o sinal-da-cruz e ao olhar melhor para a massa encaroçada e mal-cozida, tem uma arcada de vômito: muito se parece com o conteúdo das tripas estouradas do negro. Afasta o prato mesmo sabendo que toda comida é bendita. Mas não quer, não consegue. Afaga-flor, ao contrário, pergunta-lhe se já que não quer a comida – sempre é muito ruim mesmo – se ele então pode comer.

– Serve-te, podes ficar com toda – e vai para a janelinha. A rua ali está com seus tracejados a sangue mais fortes do que antes, à plena luz do sol. E como uma sina, mais cascos e mais rodas, sandálias esfiapadas, lustrosas botas, pés descalços, pés brancos, pés negros, sapatos com fivelas quadradas, calçaduras violáceas de clérigos bordadas com motivos de florezinhas suaves, a humanidade calcando distraída os vestígios da hecatombe. Este gordo que passa a cavalo, as banhas da barriga saltando por cima e por baixo do cinturão de couro amarelo, este homem a pé, vestido como um lírio, a véstia debruada de ouros e pratas, o guarda-chuva aberto, a cara sombreada, estas mulheres com decote tão baixo que chega a descobrir a ponta dos peitos, como riem entre si, alegres e devassas, as bocas tingidas de encarnado. Tudo isso não obedece a regra nenhuma cada qual por si, variados nos seus gostos e preferências, sem ninguém que comande um país desnorteado, sem fé nem religião; autoridades contam dinheiro e derretem ouro enquanto um negro se esmigalha sob aros de ferro, sineiros que batem as Horas no momento que desejam, é um milagre que esta nação subsista. Só em duas coisas são firmes: na ferocidade e no segredo.

## Rainha Hécuba

Quase hora das *Completas*, e o sineiro do Carmo nada de tocar. Muito o dia correu, o movimento acalmou-se e as sombras alongaram-se, consumindo as paredes do prédio defronte, que agora se confunde na escuridão geral da rua.

O Afaga-flor ressona, languidamente estirado, o ressonar do respiro trazendo aquele duvidoso conforto de não estar só. Depois de uma tarde febril de queixas, reclamações, desânimos e aceitação da má sorte, o mulato rendeu-se ao sono como uma criança. Seu silêncio torna-se uma bênção dos céus, depois de tantas palavras, tantas. Agora é caminhar de um lado para outro, ir à porta, voltar à janela, retornar à porta, ouvir os grilos e os estalos da madeira do teto acomodando-se depois do calor, tudo para que o sono venha com a imprevisão de um desmaio, para não deitar-se ainda desperto sobre a colcha de pulgas e para não haver tempo para os pensamentos.

Alguns clarões na rua perpassam, trazidos por vultos trevosos e apressados que ora detêm-se, tramam entre si, voltam a correr, grupos que se fazem e desfazem, uma concorrência de enigmas, quase como almas ressuscitadas vagando neste mundo, uma opressão de agouros: melhor sair da janelinha, afastar pelo menos da vista.

Depois da reza, aguarda que o sono o derrube, os joelhos flexionados, as mãos postas, como se fosse possível não pensar em nada: quanto mais queremos esquecer nossas idéias, mais elas nos atormentam. Mas algo sucede, os pés do Cristo começam a iluminar-se em meio à escuridão, brandamente de início, para depois destacar-se com força: uma luz vinda por baixo da porta clareia com nitidez a pele escalavrada, o sangue que desce pelos dedos, as veias saltadas. Alguém passando pela galeria com uma candeia, pensa Francisco Abiaru; entretanto a luz parou frente à porta, soa o ferrolho com delicadeza e muita arte, obra de ladrão. Em fina carícia a porta é empurrada, contendo-se a cada momento em que a dobradiça dá sinal, para prosseguir com maior cautela. A luz da candeia não deve ser vista, percebe-se pela sombra hesitante que desce e sobe sob o impulso da mão em concha que tenta reprimi-la. Alguém que não se anuncia vai entrando, e com ela a luz, a porta se fecha, e logo junto aos pés do Cristo postam-se outros pés, pequenos e escuros, e logo depois a senhora daqueles pés, uma negra luzidia, olhos de escleróticas branquíssimas e traços como lavrados pelo gênio de um mestre escultor, em que nada sobra e nada fica por fazer. Na cabeça um torço de cassa e no pescoço uma pequena ânfora, presa por um fio.

– Fica de pé, índio. – Rosto a rosto, a negra sorri com a margem dos dentes: – Não tenhas medo. Aqui ninguém tem medo de mim.

Rainha Hécuba tem da mesma forma mil histórias, narradas à voz cortada, ambos recolhidos ao canto oposto em que Afaga-flor dorme: não é uma rainha verdadeira, mas o reencarne daquela rainha de Portugal casada com Príamo, com o qual teve cinqüenta filhos, os mais queridos: Heitor, Cassandra, Polidoro, e quando o Reino caiu na mão dos árabes, um grande sultão a encontrou chorando entre as sepulturas dos filhos. O sultão, por grande respeito levou-a para terra de Maomé com os dois únicos filhos que restavam, e lá chegando esses filhos foram mortos traiçoeiramente, e ela por vingança em pessoa matou os dois filhos do sultão, revoltando todo o povo e guardas e cavaleiros, que a perseguiram pelos campos com pedras, que ela pegava e mordia com raiva, e aos poucos, quanto mais mordia, ia-se transformando, nas mãos cresceram pêlos, o rosto se encompridava, aumentavam os dentes, todo o corpo ganhava um velo espesso, e ao final transformou-se em uma cadela de alma errante, que ora é rainha também, embora sem a coroa e por isso seu espírito desceu nesta negra, em terras do Brasil, pois o Reino está dominado pelos árabes que se a capturarem a matam.

Possuindo essas duas naturezas, quando é rainha governa e impera, quando cadela entrega-se a qualquer um, mas também morde e rasga as carnes, é perversa pelo ódio que ficou pela morte de seus filhos. Francisco Abiaru não deve assustar-se, pois ela vem à sua alcova como cadela mansa e pedindo carinhos que a façam esquecer a prole dizimada pelas mouras, e porque este aqui – e mostra a ânfora de âmbar, vazia –, este que mora aqui é Alimã, meu amigo e protetor e que me disse que viesse aqui. E ele não me mandava se não fosse para fazer o bem.

– Alimã não é o diabo, é seu enviado; assim como Deus enviou Cristo, o diabo também manda quem tem de mandar, e por vezes manda os bons, por vezes os maus. Não é difícil falar com Alimã, é preciso algumas rezas, um *Credo* rezado de trás para diante, mas com o Cristo ali encostado à parede, Alimã não aparece, precisa ser fora daqui.

Dócil, Francisco Abiaru nem percebeu o abrir-se a porta, nem quando Rainha Hécuba tomou de sua mão e o veio conduzindo pelas galerias da prisão, os passos abrindo caminho, ligeiros, cruzando corredores abafados, câmaras, depósitos e despensas com a certeza de quem sabe o que quer, há em todo o trajeto ruídos perversos, murmúrios e gritos sufocados que fazem insólito contraste com o som longínquo e persistente de um clavicórdio que toca uma sarabanda em clave menor, dolente e amarga, que se expande pelo ar como agulhas de cristal. Param frente a uma porta e um cadeado que Rainha Hécuba abre sem utilizar chave.

– Entra – ela manda, pondo a candeia sobre um altar disposto ao fundo da peça duas vezes maior que a cela de Francisco Abiaru. Um altar fantástico, revelado pela luz amarela, sem cruzes, sem santos, duas velas ardendo a cada lado de uma base quadrada de seda roxa onde Rainha Hécuba deposita a ânfora destampada; ajoelha-se, faz o sinal-da-cruz ao contrário e, mandando que Francisco Abiaru também se ajoelhe, começa a recitar *Amen, saeculi venturi vitam et mortuorum resurrectionem exspecto et, peccatorum remissionem en baptisma unum Confiteor* e assim todo o *Credo* no sentido inverso, Francisco Abiaru sentindo abrir-se o chão onde está, porque na lerdeza do recitativo está acompanhando as palavras, fascinado pelo recitar que esperava acontecer e acontece, Rainha Hécuba chega ao fim – ou ao início – e diz:

– Alimã, Alimã, meu amigo, vem, Alimã enviado de quem te manda, o poderoso senhor das trevas e do fogo, vem que estás entre amigos, só duas almas amarguradas e perdidas, vem.

É um vento ou uma respiração ou algo pior, mas tremem as chamas das velas, a voz da Rainha Hécuba se enrouquece, um tremor sacode seus ombros, gotas de suor escorrem pela testa, descem pelo queixo, pingam no chão. E Alimã pergunta na voz da Rainha Hécuba quem é este índio, ao que Rainha Hécuba, na sua entonação natural de mulher responde que é só um homem perdido e preso e que estão aqui para saber qual o destino que o espera nesta Colônia. Alimã hesita, e depois de um silêncio em que se ouve o clavicórdio agora atacando uma giga de fusas e semifusas em escalas furiosas, Alimã diz que nada poderá falar, que há uma cruz presente, e manda que Francisco Abiaru tire-a do pescoço. Ele obedece, possuído de uma força que faz romper a tira de couro como se fosse feito do cordão mais brando.

– Estou pronto, Alimã.

Rainha Hécuba explica que Alimã só ouve a ela.

– O índio não tem mais a cruz no pescoço – ela diz à ânfora – fala, Alimã.

E Alimã fala:

– Longo é teu caminho nesta Colônia, índio, mil perigos te esperam, mil bocas te acusarão, mil braços te prenderão, tudo te quer agarrar e prender e matar. Vieste para a Colônia mais pobre e triste da terra, onde o que se planta morre antes de que a semente estoure a vida, onde os homens são misteriosos e tristes, e esquecem pai e mãe e querem antes de mais nada encher seus bolsos de ouro, onde príncipes falam no bem do povo e obram em seu próprio bem, uma terra sem conserto nem destino, chamada antes de Santa Cruz mas que por obra de meu Senhor perdeu este nome para ganhar o de braseiro, brasil, lugar de chamas e vermelho de calor. Aqui não agem as leis da natureza, que foram pervertidas, terra onde um rei é rei por pouco tempo, porque lhe tiram a coroa e trocam ele por um comandante de praças-fortes que ajunta sua gente e só querem gozar a vida, enriquecendo os seus nem que para isso tenham de atormentar e matar em valhacoutos perdidos que ninguém sabe onde ficam. Bem infeliz é quem venha cair na mão desse povo.

– Alimã é um profeta? – Francisco Abiaru sussurra.

– Não – diz Rainha Hécuba – ele é um sábio.

– Pois então ele que me diga o que vai acontecer comigo.

Rainha Hécuba não responde, ergue-se, e depois de fazer novamente o sinal da cruz às avessas, tampa a ânfora e diz que muito já Alimã falou por hoje, e que ele índio deve confiar é nela. Outro dia Alimã falará.

– É uma noite muito longa, esta. E muito nós precisamos um do outro – Rainha Hécuba conclui, levando a mão acariciante ao rosto de Francisco Abiaru.

## Na oficina de Mestre Domingos

E assim concluo para maior glória de Deus mais esta santa imagem, gravando na madeira, por baixo da escondida peanha, o meu singelo nome, não por vaidade – que este é um vício capital – mas para que fique bem provada minha fé quando deva comparecer ante o Senhor dos Exércitos, Ele reconhecerá nesta firma o testemunho material e certo de minha condição de imaginário, carpinteiro, entalhador e pedreiro, mas antes de tudo um *servus servorum Dei* que, mesmo sendo um pecador, o maior de todos, dedica o resto de sua vida a honrar o Santo Nome, arrependido dos desregramentos e desvios da idade juvenil, mas que encontrou tempo e doçura suficientes para freqüentar as oficinas dos mais insignes escultores, já anelando o futuro ofício. Andei bem em deixar-me tocar pela Poderosa Mão, a qual guiou as minhas próprias no rumo das goivas e dos formões, elas que antes apenas sabiam tanger as violas, amaciar seios desnudos e erguer brindes em meio às noites de Matosinhos, reino saudoso de Portugal. Lá, vencendo os maus pendores, prestei exame perante meus pares; em obediência à regra lavrei uma imagem de Cristo com três palmos de comprido e posto na Cruz, bem como uma imagem de Nossa Senhora com o Menino ao colo, lavrada toda em redonda, obras examinadas e aprovadas pelos quatro oficiais para este fim nomeados, os quais ajuizaram a beleza dos rostos, formosura das mãos, boa ordem nas posturas e boa arte no pano e nos cabelos, fato que me deu o título de Mestre que hoje ostento, mas não sem antes haver jurado sobre os Santos Escritos que seguiria para toda a vida os ensinamentos de meus mestres, sem inovação no exercício de minha arte, juramento este que cumpro desde então até a última vírgula e que só me tem sido motivo de grandes alegrias.

Bela e perfeita é a vida, que tudo acerta no caminho do bem e que fez o Nurciano abandonar seus estudos de retórica em Roma e criar raízes no Monte Cassino, de onde deitou a altíssima progênie espiritual que durante os séculos se espalhou pelo mundo, erguendo mosteiros, igrejas e retiros, expandindo sua Santa Obra até este recanto da Criação, *Januaria Flumine*, com sua líquida baía de Guanabara, e que me abriu esta oficina para que praticasse meu trabalho sem temores de subsistência diária.

Ouro, muito ouro, e prata, e imitações de ouro, tudo gastei nesta imagem do Patriarca desta ordem à qual aspiro um dia pertencer, quando pela morte natural se dissolver meu vínculo de homem casado, que após o nascimento de minha filha estabeleci votos de castidade perpétua e que me faz viver apenas em amizade com minha santa mulher. Sim, muito ouro nesta imagem que agora contemplo: o Patriarca de pé, vestindo a cogula monacal, a mão direita abençoando as gentes e com a esquerda empunhando o báculo apascentador, a cruz pendente ao peito, o resplendor flamígero expedindo raios da pelada cabeça. Na madeira gravei o rosto pálido e largo, de pômulos salientes, lábios delgados e olhos pequeninos, à vera semelhança de tantos santos que vi no Reino; ninguém poderá dizer que minha idéia se tresloucou, pois se há virtude que prezo e cultivo é a sabedoria de honrar os juramentos que me obrigam a aborrecer as fantasias.

Contemplo e me admiro: como é perfeito! E se a blasfêmia não estivesse eternamente rosnando nos calcanhares dos prudentes, até diria que me acho possuído da mesma exaltação de Javé que, como se lê no Gênese, contemplou a sua Obra e concluiu que era boa, ou como o Buonarrotti que golpeou seu malhete escultórico no joelho do Recebedor da Lei, clamando: fala!, tal a beleza de seu trabalho. Quase estouro de felicidade, e não me basta concluir que fiz mais uma bela imagem: atravesso os corredores e as galerias e me precipito no interior da igreja desta abadia, faço a genuflexão dupla do estilo pois exposto está o Santíssimo e, empolgando com a mão sinistra um candelabro ao qual acendi as quatro candeias, ergo-o, assim como alço a vista para o meu retábulo do altar-mor, em cujo lado da epístola já se ostenta outra obra de minha arte, a nunca demais honrada Santa Escolástica, irmã carnal do Patriarca, de alma elevada aos céus em forma de pomba, e onde vejo a trêmula encarnação, o rosto cheio e redondo das mulheres de regalada vida, os mesmos olhos pequeninos mirando abaixo a triste Humanidade, na mão direita idêntico báculo abacial e na esquerda, pousada sobre o Livro, dourada columba de asas entreabertas, como a ganhar os ares. Ouro, muito ouro e igualmente prata dissipei nesta Santa, e isto sem peso ou dor na consciência, pois se alguns arroubos de sensibilidade me permiti em sua confecção, estes já ficaram confessados e purgados nos recônditos silenciosos do confessionário: foi-se o pecado e ficou esta linda figura. "Comporão um belo par, lado a lado do altar-mor, combinarão com as lavras douradas e com os enfeites", disseram os frades ao conhecerem meus propósitos decorativos; e depois, quando viram a Santa em seu lugar, não cessavam de louvar a magnífica arte com a qual Ele me agraciou em Sua infinita bondade e compaixão. Me inchei de orgulho, eu que me notabilizara em ornamentos da mais delgada filigrana, baldaquinos e colunas do trono, camarins da capela-mor, balaústres torneados, a estala do coro dos frades onde um dia me assentarei, arcazes da sacristia, portas almofadadas, peças de lavor finíssimo, tudo isto vencendo a rude matéria tropical, indomável, bravia na dureza das madeiras com as quais tive de me acostumar – os jacarandás, os cedros –, que só depois de muito enfreamento se submetem, contendo suas seivas enfurecidas.

Sim, muito tive de provar nos enfeites para que me permitissem ousar algo mais digno, uma imagem santoral. Os frades, prudentes por princípio, não me aceitaram os diplomas e papéis do Reino, preferindo que eu demonstrasse em prática tudo o que os papéis diziam. Depois de provado e aceito, foi que o Abade me determinou o acabamento da restante decoração, isto é: os santos para preencherem os nichos da igreja; sendo que a ordem me foi dada com ressalvas de que deveria ater-me à concepção geral da nave, de modo a haver harmonia, e que os olhos de quem visse todo o esplendor do templo não se detivessem em demasia nos pormenores, para que a alma caminhasse sem paragem ao lugar do Santo Sacrifício, objetivo e finalidade única de tanta imponência. E os frades louvaram minhas concepções tendentes a evitar o quebranto dos olhos; pus nisso todo empenho e força, talhei pequenas imagens, até uma de Santo Amaro, dando-lhes cores e formas que pudessem confundir-se com as galantarias e, sendo mais uma vez autorizado, enfrentei a esculturação da Santa, deixando o Patriarca São Domingos para depois, quando meus dedos respondessem com mais sabedoria aos desejos de minha vontade. E vejo que também fui prudente neste passo, pois meus dáctilos pressurosos se acalmaram ao escarvar a Santa, acostumando-se às suas dobras, saliências e reentrâncias, aos douramentos e à custosa encarnação, obtida depois de polir, espalhar gesso misturado à goma e fundir os mais delicados pigmentos que esta terra pode produzir, de modo a que a pele, embora esmaecida, é verdadeira em seu palpitar de quase-vida. E os dedos tanto se acostumaram, tanto se apaziguaram na obediência que outra coisa não souberam fazer senão outra imagem fraterna desta, e não apenas por serem irmãos os dois santos, mas porque minha mente se apequenou ante o prodígio de haver realizado tão perfeita obra.

De volta à minha oficina, considero que muitas e muitas outras imagens semelhantes a esta poderei talhar, agora que tenho o Segredo guardado em meu coração e que, a bem da clareza e limpidez, reside em cânones bem pensados que, de tantos repetidos, geram a mais linda beleza, imorredoura e perene. Baixo o candelabro, trêmulo de alegria, levando comigo a confirmação dos meus propósitos e a certeza de minhas fórmulas.

Sabe-se que os porcos existem para que não se apodreça o presunto que trazem nas carnes; assim a Arte permanece incorrupta no coração dos aprendizes que, por isso, são necessários. E muitos, noviços em talha, em cantaria, em escultura imaginária, vêm a esta abadia de todos os quadrantes da bússola, rapazes a maioria e outros nem tanto, brancos, pretos, cafuzos, caribocas, mamelucos e alguns de pele tão suja e origem tão incerta que parecem antes filhos das Trevas do que gente cristã. Os mais escuros encaminho ao torno e às lavraturas modestas: pés de mesas, fundos de armários e bases de colunas, ali onde a vista não chega. Os mulatos, porque nas veias lhes corre algum sangue aproveitável, esses podem aspirar coisa melhor, as costas, ou mesmo as fímbrias caprichosas das túnicas, ou ainda, se forem sagazes, o pormenor de um rosário. Aos brancos, que são três os que trabalham na oficina – isto é: dois do Reino e um da Terra –, pode-se revelar alguns mistérios da composição, explicar-lhes algo das proporções e dos cânones, eis que sabem tudo repetir sem erro ou extravagância: olham para o Patriarca recém-feito, louvando a limpidez do perfil de reto nariz e as mãos deliciosamente desenhadas; já os mulatos abismam-se com os planejamentos ornamentais; o resto maravilha-se com todo o conjunto que induz à devoção mais piedosa.

À soleira da porta, porque dali não passam, juntam-se os escravos ultimamente comprados pelo Abade e postos à minha disposição para ajudarem nos esforços de erguer, cortar e rachar, e que a seu modo selvagem também admiram. Fiz bem em só compartilhar minha arte com os três brancos, ou melhor, dois mais um, que estes sim puderam pôr antecipadamente os olhos no Patriarca ainda quando estava sendo lavrado, o que dois reinóis fizeram sem erguer objeções ou sem apresentarem propostas desvirtuadoras da retidão, dóceis a tudo que lhes ensino. Quanto ao outro, não é de fiar, surpreendem pelos excessos de idéias, quando não é esta a maneira de ser-se imaginário.

Agora mando que todos desapareçam, deixando porém que aqui permaneçam os dois mais um, ou antes mandando, porque quero falar-lhes. E quando os tenho sós, indago que acham da imagem concluída, se a acham bela, enfim, o que seus corações querem falar e o que eu desejo ouvir: "É a mais perfeita obra de suas mãos, mestre", e mais: "Saiu ainda melhor que a Santa". Retiro do meu intocável armário o compasso de hastes curvas e dou ao mais jovem português, José de Arimatéia, de rosto bexigoso e magro, pedindo que confira as medidas, o que ele faz com perícia, colocando uma ponta na testa do Patriarca, junto ao nascedouro dos cabelos e a outra no arredondado do queixo e depois fazendo o mesmo em relação à distância entre as duas maçãs do rosto e depois medindo o alargamento entre as pupilas dos olhos, culminando em pousar o compasso no extremo do nariz e girando trezentos e sessenta graus por todo o rosto, para concluir: "Não há uma linha a mais nem a menos". Sobranceiramente ensaio a modéstia que minha alma não sente e sorrio: "É medir, é medir e copiar. O resto é conseqüência". E me olham com respeito e inveja por quem sabe ser tão fiel a juramentos, mormente aquele proferido no Reino, e do qual depende toda minha arte. Cedendo mais uma vez a meu próprio impulso, tomo uma régua e a dou a meu aprendiz mais talentoso, de Póvoa do Varzim, o *Boa-mão* como lhe chamam, nédio como um tonel de banha, de pele lustrosa e branca, e determino que estabeleça as medidas lineares do Patriarca, o que ele faz com desembaraço e submissão, estabelecendo a altura do Santo e comparando-a com a medida dos braços e da cabeça; tudo vai lançando num caderno de quadros e, findas as mediações, faz os cálculos, as porcentagens e as regras de três, para logo erguer a cara contidamente espantada: "Não há erro, sendo o linear do rosto 1/8 da altitude total, e a medida das mãos segue as fórmulas áureas relativas à medida dos braços". Tomo o compasso e a régua: "E assim é. Um imaginário é antes de tudo um temente a Deus, pois se há proporções e regras, estas foram dadas pelo Criador à Natureza e Ele a quis assim: obediente a planos que existem desde a organização primordial do Caos, o que foi explicado já por Aristóteles, este sábio que entendia também ser a beleza o resultado da proporção. Assim, há séculos de verdade atrás da nossa arte, e nada mais somos que instrumentos da perfeição divina, que tudo sabe; se nossos mestres estabeleceram tais modelos é porque foram homens inspirados diretamente por Ele. Obrar sem proporção é, portanto, obrar contra Deus".

Percebo que ainda muito esperam de minha boca, e não lhes nego que muito há que revelar, o que faço com sábia prudência, e ordeno que de novo olhem para a cara do Santo, procurando mais ensinamentos. Seus olhos incultos perdem-se no desconhecido e nada mais sabem fazer do que maravilhar-se e, embora sem unanimidade, não cessam de falar: "Muito belo, muito bonito", ao que contesto que devem buscar mais razões para tantos adjetivos, reservando-me para o instante em que eles, exauridos de tanto verem e nada concluírem, declaram-se vencidos e me pedem mais luzes, ao que não me nego, pegando agora um fino barbante com um palmo de comprimento e com ele estabelecendo novas proporções, estirando-o desde as comissuras dos lábios até o canto dos olhos, medida esta que se iguala à do outro lado do rosto e, para maior e acachapante vitória, meço a largura da boca que é a mesma distância permeante entre as duas arqueadas sobrancelhas. O terceiro aprendiz, o brasileiro, de lentes e barba rala, o *Olhos-grandes*, até agora em muda contemplação e um poço de inesperados ditos – o que me faz pensar em afastá-lo da oficina –, pergunta-me se é dever fatal obedecer tais medidas, ao que contradigo que seria muita audácia imaginar diferente, pois se me aventurasse a isso seria um perjuro, indigno de minha ciência e de meu nome católico. Respondo-lhe quase com raiva, lembrado do São Tomé, o Duvidoso, que ele teima em esculturar, para isso obtendo permissão especial do Abade, uma vez negada a minha, que era bem fundamentada. Uma breve dúvida, fugaz como um tiro de lebre, percorre as vistas de *Olhos-grandes* e ele então fala, indicando a líquida baía que alaga a paisagem além das janelas escancaradas: "Veja o caprichoso dos recorrentes do mar, as montanhas que desenham linhas que se emendam umas às outras, numa ondulação que lembra o desenho das franjas de um manto. Nada obedece a nenhuma ordem e no entanto é belo".

Sou tentado mais uma vez a embriagar-me na tropical formosura que se desdobra em luminosidades coloridas e irritante dos sentidos, minha audácia e obsessão; muito já me penitenciei por essas sensações obscenas, muito já vedei meus ouvidos aos cantos dos pássaros emplumados de vermelho, azul, verde, muito já abafei o nariz às fragrâncias de tantos frutos, lustrosos de sumo, muito já mortifiquei estes olhos, cerrando os postigos de minha oficina, mesmo que isso signifique trabalhar à luz de candeias, mas a paisagem está sempre ali, clamando como fêmea bárbara e descontrolada. Afasto as vistas de tanto brilho, replico a *Olhos-grandes* que toda aquela profusão desordenada de sensações eventualmente pode captar os sentidos, mas não se pode a rigor dizer-se *belo*, pois não pode ser medido, ao que ele me responde que é coisa de sentir e gozar, e não de medir, e que a arte de hoje muito tem aprendido com a natureza, ou não é verdade que mesmo em nossa igreja as folhas de acanto e de parra se enroscam nas colunas salomônicas e trepam pelos guiões, esparramando-se nos capitéis? "Sim, sim", digo-lhe, "mas tudo segue uma regularidade, nada é ao acaso. No traçado da ornamentação cuidei para que todas as figuras decorativas e as firulas fossem sempre pares umas das outras, de modo que a decoração da igreja resultou tão regular que se fosse possível partir o templo em duas metades, estas seriam absolutamente idênticas. Você, com este São Tomé" – vou acendendo os fogos da minha ira – "você está por exemplo esculpindo imagem sem nenhum propósito ornamental, não haverá nicho nem altar que possa abrigá-lo, nem suporta douração; é, por assim dizer, um erro, uma extravagância. Ou você não sabe que os Santos são esculpidos para as igrejas e não as igrejas para os santos?"

*Olhos-grandes* vai deblaterar, vai erguer o dedo e possivelmente a voz, mas cala-se, fechando-se em um silêncio ameaçador como um vale que anoitece. E há razões para a repentina submissão: se eu dele preciso para que não se percam as técnicas e as lições dos antigos, mais ele de mim precisa para aprendê-las. Talvez um dia volte-se totalmente contra o mestre, mas antes precisa aprender, e muito. Os dois outros aprendizes, pressentindo desacerto, voltam rapidamente à sua bancada e retomam seus trabalhos inconclusos: *Boa-mão* afia as goivas com que logo irá talhar as barbas de Santo Anselmo quase pronto, enquanto José de Arimatéia reduz o ouro em delgadíssima lâmina que soprará com todo o cuidado no manto de uma Santana com a Virgem ao pé. *Olhos-grandes*, depois de ainda lançar mais uma vez a vista para o glorioso dia e seus encantos e depois de mirar-me em impotente desafio, segue os companheiros e senta-se também, retirando o mantéu de veludo que recobre o São Tomé, o Duvidoso, que não tem nenhuma semelhança com todas as representações do Santo e que a hagiologia consagrou: este pára-se com a mão adiantada, no gesto de quem se aproxima de Santa Chaga, e na fisionomia a Dúvida crava-se com temerosa ferocidade, um ato de perversão da verdadeira fé. Mas com precário alívio vejo que se utiliza abundantemente da régua e do compasso, e não lança a raspadeira sem antes medir uma, duas vezes. Antes assim. E agora não difere dos outros dois, de modo que meu coração se conforta ao vê-los tão sóbrios e tementes, sérios, alinhados à grande bancada que se enche de maravalhas e caracóis de madeira esfolada.

Em seu pedestal feito por um vulgar caixote, o Patriarca vigia a todos nós, solene e compassivo. O presunto permanece incorrupto. Ao menos por ora, e é o que basta.

## Com o Vigário-geral

Veste-se um índio de que forma? um índio furioso, que esperneia e se bate nas paredes, recusando a compor-se dignamente para comparecer ante o Vigário-geral da Diocese?

– Vocês dois seguram ele pelos ombros, enquanto eu enfio nele o calção.

Francisco Abiaru percebe que o calção desliza entre suas pernas e é atado na cintura e amarrado por duas tiras logo abaixo do joelho. Nunca se sentiu tão burlesco, a seda vermelha é um acinte à sua hombridade. Nada pode fazer, por cima do pescoço alguém já desce uma camisa toda orlada de franjas e rendas nos punhos e na gola e crivada de pequenas bordaduras brancas sobre a cambraia fina. E vá braço para um lado, braço para o outro, o corpo ardendo por se ver livre dos ornamentos que lhe impõem nesta manhã em que acordou todo mole, as pernas fracas e uma enorme sede: Rainha Hécuba o desfez em mil tiras. Os punhos ultrapassam as mãos, cobrindo-as completamente; alguém tem a idéia de erguer as mangas, prendendo-as por um barbante arrochado e assim fica quase como feita para ele. Em seguida as meias, brancas como a camisa, e que se erguem até encontrar o atado do calção. E logo a véstia, boa para um corpo de anta mas que nele é tão folgada que nem os vinte botões param direitos dentro de suas casas, abertas em ponto de festonê. Uma véstia imensa, amarela, do tafetá mais ordinário; nos Povos nenhum padre se lembraria de usá-lo para confecção das casulas, estas sim trabalhadas com tecidos finos.

– Avia-te, índio, por bem ou por mal.

E dizem que só há uma roupa para todos os recolhidos ao aljube, preparada para vesti-los decentemente quando tivessem de sair para alguma inquirição do Santo Ofício, é tratar de conformar-se: nos mais gordos fica esturricada. Trazem uma cadeira e fazem sentar, e um barbeiro vai tirando mechas com um tesourão, indiferente aos pedidos humildes de Francisco Abiaru para que não o deixe sem seu precioso cabelo.

– O que posso fazer, meu querido amigo? – responde o barbeiro. – Barbeiros servem para isso, e agora não adianta querer escapar. Cuidado. Posso cravar sem querer a ponta da tesoura em teu olho tão bonito. – E vão caindo as mechas sobre o avental e tombam na laje e parecem um animal de pêlo, ali abatido.

É a vez da peruca, de fios baços, mal costurada sobre uma entretela gasta e puída e cujos anelados espetam e fincam no pescoço.

– Um grande senhor como tu não fica bem vestido sem uma peruca *à la mode* – explica o barbeiro, prendendo-a com grampos de ferro que se pegam aos cabelos agora rentes ao couro. E segura um espelho, por dever profissional, como se Francisco Abiaru tivesse poder de gostar ou não gostar: encontra-se um triste bicho, perdido e desamparado, um enfeite. Mas um repentino chapéu tricorne de feltro negro achata a peruca até as orelhas, domando tantos caracóis portugueses.

Francisco Abiaru não reclama, quer agora que tudo acabe, os caracóis que se achatem, que os botões permaneçam nas casas, que tudo fique conforme o gosto desses miseráveis, para que possa ao menos ver a luz clara do dia: disseram-lhe que iria escoltado pelo gordo até a residência do Vigário-geral e que cruzaria pela rua, um trajeto não longo, mas o suficiente para espairecer, tirar da cabeça a longa e suarenta noite em que Rainha Hécuba reinou sobre ele, como se ele fosse um servo. A bem dizer, não dormiu um minuto, enredado nos braços da mãe dos cinqüenta filhos; ela por fim o devolveu à cela como quem repõe um pano sujo na trapeira. E logo o faziam levantar-se, vestiam-no como a um boneco, davam-lhe a forma necessária para o convívio dos portugueses. O que foi esta noite, o que foi? Alimã apenas um sonho?

– Enfia logo – o gordo lhe diz, depositando ao lado um par de sapatos cambaios, de tacões vermelhos e laçarotes meio despegados sobre a gáspea.

Um pé acostumado às liberdades das sandálias não se domina assim facilmente, e se as roupas são folgadas, o mesmo não acontece com os sapatos, que precisam de dedos e pauzinhos para entrarem, entrando por fim à custa de gritos e excomungações.

– Está pronto – conclui o barbeiro, pondo-se à distância. – Vamos ver se o Vigário-geral gosta.

Francisco Abiaru olha em volta: estão divertidos, lavados de riso; súbito um frio remexe as tripas: um branco na parede, o Cristo, onde está? E toda a raiva adormecida explode, quer arrancar a cabeleira e chapéu junto, joga-se sobre o cara-de-lua direito ao pescoço, agarram-no a tempo pelos braços e pernas, ele se debate como um porco que levam para a matança, guinchando, rilhando os dentes, o furor desdobrando-se entre suas carnes.

– Meu Cristo, meu Cristo!

– Teu Cristo foi requisitado, índio, já se acomoda na casa do Bispo.

Ah, a noite, a noite e Alimã me roubaram meu Cristo. Onde estava com a cabeça entregando-se assim à Rainha Hécuba? E cospe na cara do barbeiro, que se limpa com um lenço e sai dizendo que ele barbeiro não tem nada a ver com tudo isso, só está ali ajudando, nunca nenhum recluso foi tão ingrato, que guarde sua raiva para o Vigário-geral, este merece.

Passadas as ruas recendentes a gordura, a suores azedos, a cheiros múltiplos dos armazéns de medido e pesado onde predominavam os odores de frutas, farinha e vinagre; passadas as vielas onde caras lívidas destacavam-se do negrume dos interiores bafientos; passado um chafariz de água morrente; passada uma carruagem negra de florões dourados onde balançava um esquife – momento em que obrigaram Francisco Abiaru a tirar o chapéu tricorne, o qual arrastou consigo metade da peruca –; passados mil tabuleiros estendidos ao chão oferecendo doces e salgados de mau aspecto; passado um cortejo de escravos presos um aos outros pelas mãos, resignados e submissos ao poder mais forte dos açoites; passados sons de campainha, pregões, marteladas em bigornas, bilhas esborrachando-se; passada pois toda uma amostra da Babilônia, param frente a uma casa de dois pisos no Morro do Castelo, larga e preguiçosa na monotonia das janelas enfileiradas, a que o cara-de-lua chama de residência do Senhor Vigário-geral.

Soam a aldraba, e um negro todo pequeno e já de espinha curva pelo tanto dobrar-se manda que entrem. Entram, mas em vez de uma sala rica, dão num pátio sombreado, onde dois papagaios esvoaçam livres entre pés de jasmim, levantando alarido com a presença dos estranhos. O negro vai na frente, indicando o caminho, dizendo que o senhor Vigário-geral está a esperar há um quarto de hora, ao que o cara-de-lua explica que foi a dificuldade em vestir o prisioneiro que os obrigou a chegar só agora, e pergunta ansioso se o Vigário-geral não está muito zangado. O negro não responde, já cruzou o pátio, ganhou uma galeria de arcos e manda que subam com ele uma escada de pedra, em cujo topo há uma porta lavrada que ele abre com suma cautela. Agora sim uma sala, cheirosa da cera de abelha que deixa as tábuas luzidias como espelhos. Há muito o que ver, e a vista é pobre para apreender tantos móveis envernizados, tapetes com cenas bucólicas presos às paredes, brilhos de gomis prateados sobre salvas de prata, reposteiros de veludo ocultando portas miraculosas, um ar de generoso conforto e fresca existência; mas o contraste está ao fundo, em uma singela mesa de três assentos de espaldares onde se repetem brasões gravados no couro tauxiado por carreiras de cobre. Atrás é branca a parede, como à espera silenciosa do momento de emoldurar os elevados e ilustres homens que por certo habitam a residência. Há um suave rumor de passos, um reposteiro movimenta-se partindo-se ao meio, e mãos delicadas afastam os panos. Francisco Abiaru não consegue ver quem entra, porque logo o cara-de-lua tira-lhe o chapéu – e a cabeleira desta vez fica em seu lugar – e com um aperto na nuca o faz vergar-se de modo a quase encostar a testa no umbigo e incontinenti faz o mesmo e ali ficam olhando os próprios pés. Ouvem arrastar as cadeiras e depois a voz do negro, mandando que já se podem erguer: à frente, as poltronas estão ocupadas. Ao centro um clérigo de aspecto doentio, quase tão branco como a parede, um leve bigode amarelado retorcido nas pontas e um cavanhaque em ponta que, composto com sobrancelhas em forma de *V*, dá ao personagem recordações do diabo. Mas os olhos são mansos, fixam-se com delícia na indumentária de Francisco Abiaru.

– *Ecce homo* – diz o personagem ao lado direito, imediatamente reconhecido: o frei da Galera Nossa Senhora da Glória, que recolheu Francisco Abiaru das águas, e que o está indicando com dedos tão longos que parecem tocá-lo.

– Nome? – pergunta o terceiro personagem, um rigoroso civil em trajes negros, e pena de escrever no ar. A autoridade maior o sustém com um gesto:

– Não vamos por ora anotar nada; afinal não é um processo ainda instalado. E o nome dele todos sabemos. – Dirige-se a Francisco Abiaru: – Quanto a mim, meu filho, sou o Vigário-geral da Diocese, Doutor Clemente José de Matos, e tenho a jurisdição episcopal porque nosso bispo tarda em assumir seu bispado. E aqui, ao meu lado, alguém que você já conhece: D. Antônio de Ericeira, frade de São Bento, o capelão da galera que recolheu você no Rio da Prata. Diga-me: me foi trazido aqui um Cristo feito por suas mãos, e me contaram uma história incrível a respeito do seu recolhimento do mar. Gostaria de ouvir de você mesmo. – E acomoda-se, braços cruzados, atento à história que Francisco Abiaru começa a narrar em perverso português misturado ao espanhol, rendido à compassividade do Vigário-geral, por fim alguém o está ouvindo com respeito e interesse, depois de tantos desencontros.

E tão à vontade vai que não se percebe enveredar por caminhos perigosos, como o mau juízo que emite a respeito do frade, que o mandou prender num cubículo imundo e sem ar, uma verdadeira tortura que um cristão não merece. O Vigário-geral o interrompe:

– Isto são procedimentos normais, Francisco. Você é um acusado, e o D. Antônio de Ericeira agiu bem mandando você para a prisão do navio. Antes sacrificar-se um cristão do que pôr em risco as investigações; de resto, um cristão, quando sofre, dedica os sofrimentos à purgação dos pecados; se for considerado culpado no processo a prisão era pois necessária; se for apurada a falta de culpa a alma saiu ganhando com a penitência. Como você vê, não há nenhum mal nisso.

– Neste caso – diz Francisco Abiaru, sentindo o sangue subir à cabeça – deviam mandar prender todo o mundo, para que suas almas sejam beneficiadas.

O frade e Vigário-geral se entreolham, o Vigário-geral sorri para Francisco Abiaru:

– Não seria uma má idéia. Você é mesmo inteligente. Diga-me: o que os jesuítas lhe ensinaram? Lógica? Moral? Teologia Dogmática? Filosofia?

– Sim, e mais ainda a música e a pintura e a dança e o canto. Eu tenho o ofício de escultor, sei latim e sei rezar o Padre-Nosso e a Ave-Maria em grego.

O frade remexe-se e sussurra algo ao Vigário-geral. Este então pergunta:

– Como você aprendeu escultura com os jesuítas? que modelos utilizavam para copiar?

– Os santos que vinham da Espanha, e mais alguns livros.

– Que livros?

– Uns livros com desenhos de escultores da Grécia e da Roma.

– Esculturas pagãs, portanto.

– Sim, mas de muita sabedoria.

– Mas eram pagãs.

– Diga-me pois o senhor como é que se pode dizer que uma medida é pagã ou cristã? Um palmo é um palmo, uma polegada é uma polegada, e um côvado são vinte e quatro polegadas, e um pé são doze polegadas e uma polegada são doze linhas.

– Basta, Francisco, não precisamos de aulas de matemáticas. Responda agora: como eram os santos que vinham da Espanha? Isto é, que cara tinham?

– Cara de gente, com barba, sem barba.

– É verdade que os santos jesuítas têm abertura na cabeça para esconder ouro?

– Não, são para guardar as relíquias.

– Mas relíquias são guardadas numa lápide sobre o altar.

– Talvez aqui, onde não há ninguém que importune a vida das gentes, mas os Povos estão sempre com medo.

– De quê?

– Dos portugueses, que não respeitam nada, são piores que onças e mais ignorantes que mulas.

– Percebo que os espanhóis se têm na conta de muito espertos, tanto que ensinam essa barbaridade aos índios.

O frade incha-se como uma formidável montanha:

– Ainda mais espanhóis jesuítas, doutor. Enquanto o Papa não acabar com a Companhia de Jesus, sempre vai ser isso. O horror que ouvimos da boca deste índio é uma prova da degeneração a que chegaram. Onde se viu dar livros pagãos aos pobres guaranis?

O Vigário-geral arranca um pêlo da sobrancelha e fica olhando, absorto. E diz quase para si mesmo:

– Concordo em número e grau, mas algo do que esse ingênuo disse é verdadeiro. Nós, portugueses, não estimamos muito a instrução dos povos.

– Perdoe, doutor Clemente, mas e Coimbra? e Lisboa? e Camões? Ninguém pode falar em ignorância.

– Talvez cultivemos uma instrução apenas para nós, meu frade, mas observe que na América não possuímos nenhuma escola... a não ser o colégio dos jesuítas... enquanto que os espanhóis já possuem uma Universidade no México há quase duzentos anos. Do Brasil só sabemos tirar: açúcar, pedras preciosas, ouro. O que damos em troca?

– Evangelização. Isto não é o suficiente?

– Seria, se realmente evangelizássemos. Não é evangelizar impor três ou quatro mosteiros na costa, fechados em si mesmos. Onde estão os missionários que adentram selvas, onde os oradores?

– Tivemos um orador e missionário, sim, o Padre Antônio Vieira. E o Padre Anchieta, e o padre Manoel da Nóbrega.

– Todos jesuítas, todos jesuítas. Jesuítas não fundam mosteiros, criam colégios.

O frei passa por cima da insinuação:

– Para ensinar isso que nós estamos vendo.

O Vigário-geral retoma:

– Sabe o que nós, portugueses, estamos provocando, com isso?

– Não. Até gostaria de saber.

– Estamos fazendo com que no futuro tenhamos espanhóis e portugueses inimigos neste Continente. Se não inimigos, pelo menos povos que não se compreenderão. E isto é o melhor para a fé e para a instrução?

– No futuro estaremos todos mortos.

– Mas a mensagem do Evangelho é para sempre, e nós somos responsáveis por ela é agora. – Bate ritmadamente os dedos sobre a tolha de feltro e olha para

Francisco Abiaru. – E bem, Francisco, gostaria de saber como era o seu trabalho, lá nas Missões espanholas. Digo melhor: como era seu trabalho de escultor. Quem o instruía?

– Um Padre-mestre muito sábio, e que Deus o tenha na sepultura debaixo das águas. Ensinava quase dez homens da Redução.

– De que modo?

– Assim: dizia "você faça um Santo Isidro, você uma Nossa Senhora da Conceição". E todos nós obedecíamos.

– E ele deixava que cada um trabalhasse à sua maneira?

– Os mais novos ele ajudava, esculpindo os rostos e as mãos. O resto ficava por conta de cada um.

– E você naturalmente fazia as imagens completas.

– Sim. Sou quase um mestre.

– Então o Cristo que tenho aqui foi feito todo por você? inclusive o rosto?

– Sim. O Padre-mestre só me pediu que fizesse um Cristo para ser posto na cruz.

– E não vigiou o trabalho?

– Não.

– E ele, o que achou da imagem depois de pronta?

– Achou que estava perfeita, e louvou a minha arte.

O Vigário-geral então manda ao negro que traga o Cristo para a sala. Uma vez desembrulhado o Cristo e seguro pelos braços, o Vigário Geral se levanta e vai até a imagem.

– E estes olhos?

– O quê, os olhos?

– Você viu alguma vez estes olhos nas imagens da Espanha ou nos desenhos das esculturas dos gregos?

– Não entendo, Eminência.

– Não se faça de simplório. Os olhos que você fez são amendoados, índios. Cristo não era índio.

Francisco Abiaru caminha até o Cristo e observa os olhos.

– Os olhos são feitos iguais aos olhos dos homens da minha gente. Há algum mal nisso? Cristo era de que nação?

– Era judeu, isso você devia saber.

– Pois assim como na Europa não fazem Cristo com a cara de judeu, eu também imaginei outra cara para ele.

– Você conhece algum judeu para dizer isso?

– Conheço. Isto é, imagino como é que sejam.

O frade se inquieta:

– Pois se vamos deixar a cada um que faça Cristo como deseja, isto pode ser um grave prejuízo para a fé. Este Cristo é selvagem, nem parece humano.

– Contudo – diz o Vigário-geral, tocando no rosto da imagem – está bem representada a agonia do Salvador, há uma certa arte. A pena são esses olhos.

Francisco Abiaru segura a mão do Vigário-geral:

– Se me permite, Eminência, acredito que Cristo nasceu para redimir toda a humanidade, judeus, pagãos, índios. Por isso pode ter os rostos de todas essas nações.

O Vigário-geral corre os olhos pela mão insolente que ousa conter seu pulso e mais uma vez sorri, desarmando Francisco Abiaru, que leva os braços para as costas, pronto para ouvir um desaforo. Mas:

– Vejo que você é impetuoso, como todos nascidos no Novo Mundo. Eu entretanto o perdôo por ser um artista. Artistas são assim mesmo. Eu próprio já quis ser, quando estive em Roma e vi aquelas maravilhas da Capela Sistina. E quando vi o Moisés de Michelangelo, e o Apolo del Belvedere. Deve ser fascinante ser escultor.

Na boca do Padre-mestre, Francisco Abiaru ouviu muito falar nessas maravilhas e agora, ditas pelo Vigário-geral, um clérigo a quem chamam de doutor, transformam a figura do homem, que por este simples fato ganha uma nova figura, quase santa venerável.

– A Eminência já esteve em Roma, então?

– Sim, e falei com o Papa. Mas isto já faz muito tempo, numa época perdida em que nem pensava em ser eclesiástico, e era um simples doutor em Direito, e busquei no Papa a minha salvação. Eu andava perseguido como você, Francisco. Advogava em Lisboa e por uns escritos meus mal interpretados acabei sendo acusado pela Igreja. Ah, Dom Veríssimo de Lencastre, que tenhas tido uma boa morte e que no inferno não tenhas encontrado um Inquisidor como tu – diz o Vigário-geral para um ponto além daquelas paredes, perdido em um passado remoto do qual, vê-se, não tem saudades. Volta a narrar: – O Papa me abençoou e ficamos longamente conversando em sua biblioteca de cinqüenta mil livros, e depois Sua Santidade mandou-me a visitar a capela de São Pedro in Vincoli e quando vi, estava frente ao Moisés, tendo na face estampada aquilo que os italianos na doce língua chamam de *terribilità*, este poder majestoso capaz de tudo, de uma sagrada ira a um gesto de proteção. Quase chorei. Que poder, o Moisés. Oxalá nossos linfáticos reis portugueses tivessem um milésimo daquela ousadia. Que mundo faríamos, Francisco, que mundo. Passados dois anos, voltei, a convite do Papa, e juntos visitamos a Capela Sistina, que me fez cair de joelhos. O Juízo Final é inesquecível. Depois de mais um tempo em Roma não me tornei um artista, mas aos meus vultosos bens materiais havia ajuntado outros, talvez mais importantes, bens espirituais. E me tornei um padre, como você vê, a quem não se habituam a dar o tratamento de meu cargo, mas sim de doutor. Nós portugueses, e percebo que também os brasileiros, temos uma reverência infantil por esse título.

O frade meio à distância, preso à sua cadeira, estira os ouvidos, põe a mão em abano junto à orelha. Diz, em uma pausa:

– Se me permite de novo, doutor Clemente, não seria melhor continuarmos?

– Sim, meu frei, vamos cumprir com o previsto – concorda o Vigário-geral, retomando o seu lugar e, junto, sua condição de interrogador, em mudança semelhante à dos lagartos, que tomam a cor do campo em que estão. Dirige-se ao frade: – O que você propõe? De fato os olhos do Cristo são indígenas.

– Temos tudo para decretar heresia.

– Não acha que é ir muito longe?

– Nem tanto. – E passa a falar sem contenção, explicando que há heresia explícita – *haeresis explicita* – quando condenada especialmente por um Concílio, como por exemplo a heresia de Ário, ou de Nestorius, ou Macedonius e que precisam dessa condenação formal porque atentam gravemente contra a fé, como quando alguém diz que Deus não é o Criador do Céu e da Terra; e há outra classe de heresias – *heresis implicitae* – quando os homens de letras e de ciência constatam uma asserção contrária a qualquer verdade religiosa – como é o caso do nosso escultor; quanto a estas últimas, os manuais do Santo Ofício dizem que o Inquisidor ou alguém seu preposto tem o poder de declará-las.

O Vigário-geral olha para Francisco Abiaru, mas, falando ao frade, pergunta:

– O que você me diz da conduta do nosso anterior Bispo, D. Alarcão: era escandalosa ou herética? Todos estamos muito bem lembrados de suas estripulias públicas, seus desregramentos, suas concubinas...

– No caso, D. Alarcão tinha apenas uma conduta escandalosa do ponto de vista moral, mas não herética.

– Quais os limites, meu frade?

– Os limites são claros: uma coisa é a moral, outra é a fé. D. Alarcão não atentava contra a fé, e sim contra a moral, e por isso foi punido. Mas não foi um herege.

– E nosso índio, aqui presente, não terá apenas uma conduta escandalosa?

– Aí é que está, se me permite, o seu erro, doutor Clemente. É heresia. Numa obra que o senhor bem conhece, do célebre Pugna, que trata das diferentes heresias, está dito que as *heresis implicitae* podem decorrer de dois comportamentos: ou contra a opinião comum dos teólogos, ou contra as tradições da Igreja – *quia cum Ecclesiae traditionibus pugnat*. E sem dúvida que é contra as tradições da Igreja fazer imagens que não sejam as devidamente aprovadas há séculos pelos fiéis.

– Talvez seja assim, mas você esquece que o próprio Pugna diz que alguém pode recair em heresia por ignorância ou inadvertência.

– E Pugna dá a solução: deve verificar-se se o acusado não é desprovido de razão ou inteligência: só neste caso é possível o perdão – ergue-se, aponta Francisco Abiaru – e se bem estou certo, ouvi o senhor, doutor Clemente, dizer que o índio aí é inteligente. Nega ou confirma?

– Confirmo. Disse que ele é inteligente.

O frade volta a sentar-se, dá um suspiro aliviado:

– Pois requeiro que o senhor cumpra com o seu dever, e comece o processo. E pode aí incluir, *in absentia*, como réu, o mestre do índio, jesuíta.

O Vigário-geral, instantaneamente rubro, bate com o punho na mesa:

– Isto está uma comédia, frade. Sua lógica me confunde. Não concordo com a abertura do processo, pois estou sentindo aí mais raiva de beneditino contra os jesuítas do que o real desejo de esclarecer uma suposta heresia. O próximo Bispo, quando assumir, que resolva o caso. Eu por mim vou tomar um decisório, que por enquanto estancará as coisas no ponto em que estão. – Fala ao escrevente: – Ponha aí que eu, doutor Clemente José de Matos, Vigário-geral da Diocese do Rio de Janeiro, *sede vacante*, investido da autoridade que me dão as regras do Direito Canônico e dos Manuais do Santo Ofício, e no desejo de apaziguar os ânimos e arrefecer as disputas, determino que o índio guarani Francisco Abiaru, a mim apresentado e denunciado pelo Familiar D. Antônio de Ericeira, seja mantido em cárcere e que seja, a partir de hoje e até ulterior decisão do titular da diocese, privado do ofício de escultor, sendo-lhe negadas as ferramentas, as madeiras, os mármores e tudo o mais que servir para a arte de esculpir. E que mando publicar esta decisão à porta da Sé para conhecimento de todos.

Põe-se de pé, dá a bênção *de ordine* e retira-se pelo reposteiro por onde entrou. O frade arrepanha o capuz sobre a cabeça, enfia as mãos nas mangas:

– Está decidido, viram? o que estão esperando para ir embora?

– E o meu Cristo? – Francisco Abiaru pergunta, agora certo de que é a única imagem que ficará de sua arte.

– O Cristo? pergunte ao Vigário-geral, quando ele se dignar a decidir de modo tão excelente como agora.

No caminho de volta, descendo a ribanceira do morro, Francisco Abiaru pergunta ao cara-de-lua quem é esse doutor Clemente de comportamento tão estranho, e que num momento parece estar de acordo com tudo e depois decide ao contrário; e pensa para si que sempre conheceu homens de humores variados, mas ninguém tão desconcertante. O cara-de-lua responde que a vida desse homem é um verdadeiro mistério, pois já chegou na colônia muito rico, tão rico que possui uma grande chácara no Botafogo, muitas casas de aluguel espalhadas pela cidade, escravaria, terrenos alargados na ilha do Governador além dessa casa, talvez a melhor de todas. É um sábio, fala todos os idiomas do mundo, prevê quando acontecerão os eclipses e sabe tudo sobre os animais e as plantas. Aqui chegou e aqui dominou, sua voz é ouvida e respeitada até pelos Governadores-gerais. Não se dá muito com o abade de São Bento, e se sabe que prefere a vizinhança dos jesuítas, onde tem amigos que ele convida para sua casa, para comer e beber e discutirem. Ninguém sabe como é que ainda não foi feito Bispo; ou melhor: o cara-de-lua sabe; bispos vêm sempre de Lisboa e o doutor Clemente, pelo tempo que aqui está é quase um da terra. Quanto a ele, Francisco Abiaru, pode dar-se por feliz que esse homem condenou-o a ficar esperando a vinda do novo bispo; isso é uma grande deferência, quase um prêmio, não houve castigo nenhum, nem solitárias, nem é mais preciso que ele índio fique fechado na cela, pois as ordens devem ser entendidas assim: se não vêm com a recomendação de cela é porque querem o preso apenas confinado ao aljube.

– Como que não teve condenação? como? só uma pessoa boçal como você não percebe que me tirar o direito de esculpir é como tirar o direito de viver.

O cara-de-lua não se agasta, está com a atenção perdida em uma casa de pasto onde dois funâmbulos à porta divertem uma turbamulta de negros, mendigos e ciganos, que batem palmas a todas as vezes em que os joguetes de madeira cruzam o ar e vão encaixar-se, precisos, nas mãos dos volantins. Quanto a Francisco Abiaru, este considera que o judeu jesuíta tinha razão quando dizia que é um perigo ser inteligente nesta terra.

## O holandês voador tem seus planos

Esperar, mais uma vez. Esperar a vinda de um improvável bispo sumido nos Paços de Lisboa, temente de chegar à terra de selvas e negros e índios onde medram as doenças mais terríveis: alporcas que ocupam as glândulas do pescoço, rompendo-se em chagas; febres podres arrojando à pele grãozinhos de várias cores; bichas refestelas nos ventres inchados; ardores de urina, puxos nos intestinos, afogações da madre, corações d'água, terçãs de origens obscuras, tudo aquilo que Francisco Abiaru vê corroendo os corpos dos recolhidos ao aljube, cujos gemidos ecoam dia e noite nos desvãos e subterrâneos. Mas há também, no aljube, os variados da cabeça, espojando-se em fantasias as mais delirantes, homens que se julgam Jesus Cristo e que, subidos em pipas, alçam os mais temíveis anátemas contra a Igreja que dizem corrompida e deteriorada pela ação dos padres, esquecidos de que isso dilata ainda mais suas esperas; homens que ficam a cavar um buraquinho na intenção de encontrar o fim da Terra – e agora este maravilhoso holandês voador, que encontram colocando em alvoroço toda a prisão, novamente trepado no beiral, ensaiando o vôo que o libertará de todas as aflições deste mundo. O cara-de-lua, ao perceber o desacerto, volta a clamar contra a anarquia em que se converte o aljube, vem para baixo do beiral e o teatro repete-se como da outra vez. Francisco Abiaru entretanto pede ao gordo que o deixe falar com o louco. Pelo amor de Deus.

– Pois fala – concorda o outro – ninguém sai perdendo nada.

E Francisco Abiaru não intenta mais convencer o louco a baixar: antes lhe pergunta para onde deseja voar, se está assim, quase batendo asas. O holandês voador, certamente surpreso com a sabedoria da pergunta, pede que reponham a escada que ele mesmo fizera tombar com um pontapé. Desce, pára-se frente a Francisco Abiaru e encarando-o, diz que se ele quer mesmo saber, que venha para um canto. Agachados sob um telheiro onde guardam os barris de sal e debaixo dos olhares curiosos e distantes dos carcereiros e presos, iniciam uma conversação fantástica, onde Francisco Abiaru sabe pela voz ensan-decida que o holandês nem sempre foi voador; ao contrário, tinha-se por um homem a pé, a cavalo, às vezes mula e até carroça, lá no seu Recife flamengo, cenário de Maurício de Nassau, que implantou em terras brasileiras um adiantado reino, com pontes, palácios e todo o luxo da Companhia das Índias. Hoje o holandês é um homem quase velho, mas uma vez foi moço e lutou como feroz soldado na defesa dos baluartes flamengos, e das fortalezas despejou cargas de artilharia e pólvora sobre os navios portugueses que se atreviam a surgir ao largo para desalojá-los a ferro e fogo da sua Maurizstaad.

– Maurizstaad! – repete, exalando um suspiro – entre o Beribere e o Capibaribe! – A resistência afrouxou graças a um comandante fraco e todo o império foi-se à bancarrota e os portugueses tudo dominam agora, mas próxima está a retomada e ele, Petrus Cornelius, está destinado à façanha do reerguimento imperial.

Francisco Abiaru então pergunta como ele poderá fazer isso, se está aqui tão longe, preso, um preso não deve senão esperar entre as grades. Petrus Cornelius puxa-o junto de si e, encostando seus lábios nas orelhas do índio, revela seu plano de escapar pelos ares, e pelos ares vai chegar à Maurizstaad e lá chegando vai reunir as forças holandesas dispersas e vai pôr mar afora esses pérfidos portugueses, enfrentando-os em batalha limpa e honrosa. E dali, de sua cidadela futura, irá expandir as posses pouco a pouco, até que todas as terras brasileiras sejam uma vez de Neerland e que, feito isso, chamará de volta o Príncipe para que seja sagrado Imperador.

Uma expressão de criança atenua a rigidez dos traços alucinados ao falar no sábio Príncipe que tudo sabe e a todos governa com justiça e harmonia, e que trouxe prosperidade e fez trabalhar os brasileiros. Francisco Abiaru entusiasma-o desejando saber por que razão julga que os homens de Holanda sejam melhores que os de Portugal.

– Não julgo, índio, eu vi. Vi as pontes, vi os palácios ricos de ouro e as ruas limpas e o progresso. – E, como explica, os holandeses comportam-se com sabedoria buscando a riqueza, não são como os portugueses, que empobrecem suas casas para enriquecerem suas igrejas.

A face de criança torna-se pesarosa, faltam contudo os meios de construir sua máquina voadora. Costuma a trepar no beiral para chamar a atenção dessas autoridades e do povo para que lhe dêem o que necessita, e é tão pouco: uns panos, linhas, varas de taquara e um agulhão grosso; todo o aparelho está em sua idéia. É pouco, bem pouco, como afirma, e Francisco Abiaru sente-se ungido àquele homem pela solidez da necessidade e por serem ambos vítimas de proibições incompreensíveis: ao ver Petrus Cornelius ser conduzido à cela, tem uma luminosidade brilhando em sua cabeça, e fala ao cara-de-lua se não seria melhor dar ao holandês o que ele pede, afinal também não há nada a perder, e ainda terão um ganho: e se ele voar mesmo? A essa consideração o cara-de-lua coça a cabeça, e esse é o sinal para que Francisco Abiaru intensifique seus argumentos que vão desde a paz que voltará ao aljube até a clemência que vê no fundo remoto dos olhos do carcereiro.

– De acordo, desde que o alcaide do cárcere não fique sabendo – o homem diz, depois de considerar obtusamente as pedras que calçam o chão; com certeza muito pensou se não estava se deixando enganar por um tolo.

É o começo de dias de grande atividade, em que Francisco Abiaru, solto entre as paredes do aljube, obtém as coisas que o holandês precisa. De uma mulher que viera visitar o marido, conseguiu à custa da recitação da Ave-Maria em guarani, uma peça de damasco vermelho; de um mercador, por pura bondade, três côvados de morim azul, e assim vai entregando ao holandês, que tudo armazena entre seus trapos, recebendo as dádivas com beijos agradecidos nas mãos. Francisco Abiaru ainda não sabe que forma terá o engenho, Petrus Cornelius tem isso como um segredo de confissão, e diz que apenas ele índio saberá quando o aparato estiver concluído, mas será o primeiro a saber, na qualidade de benfeitor. O holandês tem outras idéias; não regateia: sabe quantos regimentos fará em Maurizstaad e quantas peças de canhão precisa, e onde será o quartel-general: na Boa Vista, lugar do Palácio do Príncipe de Nassau. E risca planos com o lápis jesuítico que Francisco Abiaru lhe cede, traçando a disposição das tropas e os avanços e recuos necessários, bem como a resistência que conta encontrar. Afora a insanidade do projeto de escape pelas nuvens e pelo fato de que certamente nada mais resta do exército holandês depois de tantos anos, e que jamais ninguém entregaria um comando de exército a um louco, o plano tem lógica, e Francisco Abiaru o estimula a prosseguir.

À noite, porém, sozinho em sua cela agora de porta destramelada, o suor do desespero escorre pelo rosto e as mãos seguram a testa coroada por um anel de ferro. Todo ele é uma só espera: do bispo, do jesuíta que nunca mais apareceu, do que vão fazer com o seu Cristo. Diverte-se, apenas diverte-se com esse pobre homem a quem Deus tirou a consciência, mas como a ele, concedeu o dom da fantasia e do delírio. Não, não se diverte. É através do holandês que ele realiza aquilo que lhe tiraram o poder de realizar. Se Petrus Cornelius constrói seu instrumento, Francisco Abiaru constrói junto uma escultura em idéias. O que são os sonhos do louco senão aquilo mesmo que Francisco Abiaru sempre fez, nos Povos? Não é uma escultura também um delírio? não passa de um pedaço de pau pintado, com uma forma representando um Santo. E todos curvam suas cabeças a esse sonho como se o Santo ali estivesse, todos sabendo que ele está nos céus. De que modo divertir-se com o holandês? E, persignando-se, reza uma *Salve Regina* por Petrus Cornelius.

## UMA GRACIOSA FIGURA

Sobrinhas órfãs servem para consolo dos tios solteirões, assim pensa Mariana Gabriela Furtado de Mendonça e Matos, sufocando em sua cadeirinha de arruar, transportada que vai pela estrada do Botafogo por dois negrões redobrados, no destino da famosa chácara que o doutor Clemente inventou de comprar e dotar de palacete e campos de cultura.

Um homem formidável, sabe unir à sabedoria a esperteza de ganhar muito dinheiro com plantações exóticas e fábricas aparentemente improváveis, e que no início serviam de risada geral, mas que agora se impõem como fonte de fáceis cruzados que, de um modo ou de outro, acabam por transformar-se não só em outras chácaras e campos, mas também em colares de pérolas barrocas, anéis de coral finíssimo e braceletes filigranados das Índias e que, pela circunstância do parentesco e do afeto, vão parar no pescoço, dedos e pulsos da filha de seu falecido irmão, a única pessoa da família que aceitou acompanhá-lo a estas terras do Brasil depois que Lisboa tornou-se insuportável pela sanha devoradora de D. Veríssimo de Lencastre, que não sossegou enquanto não viu o doutor Clemente levantar ferros Tejo afora. Enganou-se D. Veríssimo se pensava estar mandando a degredo o bacharel recém-ordenado padre em Roma: aqui cresceu em fortuna e admiração e até o rei o consulta por enviados ocultos. Para as mulheres, contudo, a Colônia é severa, impõe regras desconhecidas no Reino, tais como esta de somente saírem à rua aprisionadas nestas geringonças de cortinas escuras onde o calor é uma antevisão do inferno. Apenas pode entreabrir uma fresta de polegada para ter idéia de onde anda ou simplesmente para espairecer os olhos.

A paisagem, fora, convida: os morros azulados à direita e o mar profundo à esquerda, o céu brilhante e de raras nuvens, tudo muito diverso da quinta de Vila Nova de Gaia, perpetuamente fria e chuvosa, de árvores dobradas pelo vento do Norte, portador dos incômodos de pulmão e tosses de estremecer as janelas calafetadas. Mas se agora está olhando não é por divertimento, e sim para achar-se nesta viagem que já dura mais de duas horas, e na qual apenas ouve o resfolegar dos carregadores. Impedida que é de dirigir-lhes a palavra por esses estranhos códigos coloniais, imagina contudo que deve estar perto, pois já começaram as várzeas que dão acesso às terras do tio, marcadas por retilíneas cercas de vime, bem ao gosto dele. Não é uma boa sensação a que se sente, pois desta vez não vem a recreio, mas para trazer más notícias chegadas pela frota que fundeou no porto ao raiar do dia. Conta apenas com a natural sobriedade e controle do doutor Clemente para falar-lhe: homem prático, não se deixa abater por nada, e sempre fez os acontecimentos adversos voltarem-se em vantagens.

Na verdade, Mariana Gabriela vinha por outro motivo, mais da generosidade e da alma, mas as novas do Reino acabaram por atrapalhar e subverter tudo, de modo que não sabe se primeiro fala do assunto que a interessa ou dos temas oficiais. Já pensou e repensou muito nisso, e decide-se por fim deixar ao momento; Deus saberá dispor. Mesmo porque já enxerga, ao lado da estrada, as longas tábuas suportadas por tijolos e que se emendam umas às outras, paralelas e eqüidistantes, braças e braças de tábuas onde brilham cubos do estranho azul que faz a bolsa do tio inchar-se a cada ano, e às quais se seguem infindáveis caixetas plenas até a borda do mesmo azul. Depois são os telheiros de onde saem vapores de um odor acre e não de todo desagradável: dentro, ela sabe, quase uma centena de escravos está à volta das caldeiras, com longas colheres remexendo a infusão azulada, num trabalho que só os negros suportam, pois além do ardor do fogo, quase chamuscando os pés, as caldeiras desprendem emanações corroedoras da garganta e da pele.

Encontra o Vigário-geral em meio à sua *safra*, como ele mesmo chama, linhas infindáveis de arbustos densos, todos do tamanho de uma pessoa e dispostos com a mesma regularidade das tábuas que Mariana Gabriela viu à entrada. O tio pode parecer tudo, menos um clérigo, e não apenas pelo chapéu de palha enorme e redondo, mas pelo redingote civil erguido até a cintura e pelas grosseiras botas de cano que ultrapassam os joelhos. Está agachado junto ao pé de uma dessas pequenas árvores, e mostra a um padre, também agachado mas de costas, um punhado de folhas maceradas. Vê-a apear da cadeirinha e ergue-se rápido como um moço, os braços abertos. O tio possui cheiros que o distinguem de qualquer outro, uma tênue mistura de tabaco e alfazema a que, no campo, soma-se um odor selvagem de queimadas e mato, algo parecido com a camomila, e desaparecer em seu peito é uma das venturas desta vida.

O doutor Clemente está de espírito jovial, e repreende com bondade a sobrinha por tê-lo deixado uma semana sem aparecer e sem notícias, chegou a falar ao padre aqui a respeito da solidão do Botafogo quando ela não está. O padre é conhecido, o famoso judeu Moisés Israel, mas ela não estranha: a amizade entre os dois não é segredo, em que pesem as circunstâncias nada favoráveis ao jesuíta. Mariana Gabriela logo percebe que veio interromper um assunto, pois o tio, depois de pedir licença, continua falando ao padre sobre essas suas plantações de anileiras que produzem o mais refinado índigo para tingir, e que o tornam um dos maiores fornecedores do Reino; sua mercadoria é tão reputada que põe em pânico os tintureiros da Europa, acostumados a usar um azul ordinário por eles mesmos fabricado; as anileiras que o padre vê provêm de mudas de Índia, e que aqui se aclimataram com exuberância e que em breve irão dominar todos os grandes centros do mundo, incluindo-se aí os reinos alemães; o padre sabia disso? sabia que, por exemplo, em Nuremberg os tingidores devem a cada ano jurar que não usarão o índigo, sob pena de morte? Mas é um processo sem volta, e logo o índigo dominará em todos os portos. Quem não sabe se seduz pela permanência e beleza dessa cor, mista entre o azul-celeste e o azul-marinho, indefinível, e que se compõe com qualquer outra, harmonizando-se com o verde, com o encarnado, com o amarelo? Um dia essa cor cobrirá o mundo.

O judeu ouve, concordando com respeitosa distração, como quem espera um momento para falar; mas o doutor Clemente José Matos já convida para passarem à sua casa, e no caminho do palacete de dois pisos vai explicando o processo do fabrico, que começa com a colheita das folhas mais tenras para pô-las em infusão com água, até que fermentem o bastante, obtendo-se um líquido primeiramente amarelo, depois amarelo-esverdeado e por último verde-escuro. Este líquido desenvolve um processo gasoso e a superfície cobre-se de uma bela espuma cor de cobre. Depois de bem agitada com espátulas, a infusão vai gerando os flocos de anil, que são postos em caldeiras a ferver e tem-se início a segunda fase – o doutor Clemente olha para o padre, olha para a sobrinha:

– Acho que estou sendo excessivo, mais uma vez... Vamos logo para casa.

A casa sempre fez as delícias de Mariana Gabriela, que já procura seu quarto, tira o chapéu, tira o pano que usa por debaixo do queixo para proteger-se da poeira, salpica-se de água-de-cheiro e volta à sala, onde um negro serve copos de orchata aos dois homens estirados em cadeiras de vime e que conversam um assunto difícil, pois o tio está dizendo que não pode mudar uma sentença que proclamou com toda solenidade e mandou registrar e pregar à porta da Sé. O jesuíta, ao ver de Mariana Gabriela, parece animar-se, e pede que ela venha – se o Vigário-geral concordar, é claro – dar sua opinião.

O tio manda vir mais uma cadeira e a convida para sentar-se, e sem maiores primícias pergunta-lhe o que pensa a respeito do guarani que prenderam no rio de la Plata. Milagre ou iluminação, pois Deus mesmo dispôs tudo: é o assunto *bom* que veio falar. Acedendo ao pedido, ela então diz que está com muito dó do coitado, e que a sentença foi mesmo muito rigorosa, viu o Cristo e o achou lindo, e aqueles olhos puxados dão um toque diferente na imagem, e que só na cabeça do frei D. Antônio de Ericeira é que poderia passar uma idéia tão torpe.

– Mas foi para o bem dele que proibi de trabalhar. Imagine se ele continua fazendo esses santos? nem o Papa o salva. Concordo que são uma tolice essas suspeitas, mas se o D. Antônio de Ericeira foi esperto, eu fui mais do que ele. E essa gente se deve tratar com todo o tato, pois o Santo Ofício é superior a mim, que presentemente seria a autoridade máxima. Armam toda espécie de cilada.

– Sei bem disso – diz o judeu – outro dia mandaram para a cela do índio um pedaço de carne de porco, sabendo que eu estava lá.

– E você comeu? – interroga com veemência o Vigário-geral – era uma armadilha!

– Mesmo assim, não comi.

O doutor Clemente de Matos balança a cabeça:

– Pois devia ter comido, devia ter comido todo,

devia ter-se empanturrado da carne de porco. Por isso é que você se perde. Você está se comportando como uma criança. Como é que vou defender você quando vier a Visitação?

A essa voz, Mariana Gabriela sente uma breve náusea: o nome terrível foi pronunciado. O anúncio da frota estacionada no porto.

O Vigário-geral recebe a notícia da próxima Visitação com a impossibilidade esperada, sem suspender os longos goles da orchata, sem esquecer-se de limpar os cantos dos lábios com o lenço de cambraia onde estão bordadas suas iniciais sob uma coroa de visconde.

– Então eles vieram mesmo, restabelecer a ordem na Colônia. Já estavam demorando muito. São sagazes: aproveitam o momento em que estamos sem bispo para agirem com mais liberdade. Que venham, pois. E o senhor, padre Vasco Antônio, o que pensa fazer?

– Esperar. Não vou fugir. Não tenho do que me culpar. Mas jamais vão ouvir de mim o *assentior contra me dictis*.

– Bela coragem, mas a Instituição no Brasil a estas alturas deve estar em festa. Quem sabe não esperam isso para me pegarem também?

Ao ouvir o nome do Visitador, dito temerosamente por Mariana Gabriela, o tio apanha um charuto da caixa marchetada em madrepérola – é sinal de que foi tocado; seu socorro são fumaças azuladas e aromáticas. Diz, com a voz supostamente serena:

– Esse lacaio de Dom Veríssimo. Que civilização monstruosa estamos criando, no Reino. Pois que venha, também. Terá a recepção devida, a da Instituição e a minha, pessoal. E muito diferentes. – A seguir, volta ao assunto do índio, e depois de ouvir Moisés Israel e a sobrinha, ambos separadamente e depois quase num coro, decide: – Pois então vamos dar outra solução: há no mosteiro de São Bento um mestre escultor, espero que ainda não contaminado, e que tem feito toda obra de talha e algumas imagens de santos. Acredito que agradará ao Visitador saber que o índio não está ao deus-dará, e sim que está sendo reeducado. Vamos botá-lo de aprendiz do mestre. Não nos esqueçamos das palavras do Papa em suas recomendações de que, quantos aos índios, deve-se agir com prudência cristã, moderação e respeito, para que os outros não se intimidem. Só o Santo Ofício não se lembra disso.

Mariana Gabriela nota que o padre Vasco Antônio hesita e, aproveitando a ocasião de dúvida:

– É melhor do que proibi-lo de esculpir.

– Pelo menos estará em liberdade – diz o judeu. Mas suas idéias estão longe. O peso esmagador da Visitação não abandonou suas atitudes desde que soube: as mãos correm à testa, arrumam os cabelos, os dedos desafogam a gola.

Postados à janela, lado a lado, quase ao entardecer, sobrinha e tio vêem o jesuíta afastar-se lentamente pela alameda de tílias importadas da Baviera.

– *Assentior contra me dictis* – diz o Vigário-geral – esse homem nunca pronunciará essas palavras. Mas ele que se prepare para dias de trevas e muita angústia. – E apanha um charuto da caixa, esquecido que ainda tem outro entre os dentes.

Mariana Gabriela, nesta noite, dá-se conta de que bem poderia ter dado a notícia amanhã. Pelo menos não ouviria o tio perambulando pela sala, insone, em meio a uma nuvem de tabaco que chega até o quarto.

## A LIBERDADE, QUASE

Francisco Abiaru adentrava nos hábitos e mistérios do aljube, sabendo como fazer as compensações nas horas adiantadas ou tardias do bêbado sineiro do Carmo; percebendo a riqueza do rei português aumentar a cada vez que os carroções passavam frente à sua janela, pejados de ouro e escoltados por um número maior de soldados; conhecendo mais a natureza humana que naquele cárcere se amontoava como exemplo de toda espécie: gentes perdidas no tempo, confundindo eras e estações; gentes esquecidas da própria idade e dos anos que estão ali jogadas, tanto que dizem ora dois, ora dez; gentes vagando à noite como espectros destituídos do natural terror; gentes pois que, por força do enclausuramento, pouco a pouco recolhiam as âncoras da vida, sabendo apenas que estavam a esperar, e que, quando perguntadas sobre o que esperam, também esqueciam. De seus crimes pouco tinham lembranças, atrapalhando-se em identificá-los, tanto que ontem afirmavam haver pecado por heresia e hoje se acusavam por esbofetear um padre, em acesso de imperdoável cólera: a convivência e os diálogos enlouquecidos faziam misturar as culpas, tomando para si delitos alheios e emprestando seus próprios aos outros.

Francisco Abiaru por vezes lembrava-se do padre judeu, das promessas de ferramentas para seu trabalho, lembrava-se até do cheiro da sotaina, recendente a um paternal amparo e que por um momento representou a Salvação. Mesmo assim era uma lembrança fugidia, meio verdade e meio mentira. Perguntou por ele ao cara-de-lua, mas este lhe respondeu que não sabia do padre, nunca mais o enxergara, decerto estava preso em outro lugar ou então – e passou o indicador pelo pescoço, dando uma gargalhada. A proibição de esculpir até nem pesava mais: esculpir o quê? com o quê?

Olhava para o pedaço de cedro, onde ainda a figura do negro se gravava, risco de um tempo em que as mãos ainda eram hábeis. Um santo negro... onde estava com a cabeça? Mas não era tanto a descrença de que um negro pudesse ser santo, mas o disfarce para o fato de não querer pensar: seus dedos engrossavam nas tarefas de esfregar o chão, rachar toras de lenha e alçar baldes de argamassa para a reconstrução de uma ala do cárcere que se esboroou por um raio. Teriam ainda a mesma destreza de outras épocas? saberiam ainda segurar um trado e com ele aplainar a base de uma imagem? conheceriam os ardis das teclas do clavicórdio? Espantava-se quando o Afaga-flor, em voz amulherada, dizia-lhe que ele índio estava ali preso havia quatro semanas, quatro semaninhas só, do que se queixava? outros mofavam ali havia quinze anos e nem saberiam mais viver lá fora. *Lá fora...* um lugar espantosamente livre, reino da perturbação e da desordem, da lubricidade e do delírio. As cenas que passavam à janela moviam-se como imagens de fantasia, aquelas que vemos quando, ainda presos à irrealidade do sono, nos recusamos em voltar à vigília; só os carroções do rei eram sólidos em seu peso descomunal rodando sobre as rodas homicidas. O que faria um rei com tanto ouro? e para que tanto ouro, se o rei era livre, podia ir e voltar, podia cantar e dançar?

Começou a preocupar-se quando, em meio a uma ave-maria rezada em guarani, as palavras seguintes apagaram-se da memória, deixando-o aturdido em meio a uma névoa de angústia. Era sábado, e aguardava com ânsia a luz do domingo, dia em que o capelão do cárcere reza missa em um altar portátil armado no pátio. Um carmelita obeso e manso, que na homilia falava sempre da esperança como uma das maiores virtudes do homem, e que nunca concluía sem citar o santo homem Jó que, mesmo desgraçado, louvava a Deus por suas desgraças. A missa era seu reencontro com algo conhecido, lembrando os ofícios no Povo; com fervor respondia junto com os coroinhas, o que era motivo de espanto não só para os presos como para o carmelita, que o buscava por entre as grossas pálpebras caídas. Naquele domingo as palavras latinas vinham fáceis e abundantes, brotavam como jorros de uma fonte ainda não esgotada, a tal ponto o entusiasmaram que Francisco Abiaru quase as gritava, para certificar-se de que mais uma vez se havia operado o Reencontro. Ao *ite, missa est*, clamou com todos os foles do peito: *Deo gratias*!, o que fez com que o carmelita perdesse a mansidão e o mandasse chamar, repreendendo-o por sua incontinência verbal e falta de modéstia; o povo não precisa responder às palavras do sacerdote, pois para isso há os ajudantes; despediu-o com recomendações de que não voltasse a repetir o palavrório, que bem podia representar um insulto a Deus dada a forma como era proferido.

Francisco Abiaru, ao beijar a mão rósea do carmelita, tinha a alma em fogo, feliz por ainda saber os responsórios em todas as minúcias; mas à tarde, segurando a longa haste de taquara à qual o holandês voador cruzou outra taquara em perpendicular, amarrando-as com uma tira de couro, caiu em si: o que se lembrara, nesta manhã, era apenas a fala européia e civilizada que, por mais que soubesse de cor, sempre soou como falsa a seus ouvidos denominados selvagens. Exasperado pelo caráter impávido do holandês, o único que possuía alguma certeza nesse mundo vacilante, Francisco Abiaru recomeçou a Ave-Maria na suave língua, recitando-a como quem conta de um a cem, não tomando tento nas palavras, para não pôr-se em nervos. Súbito as palavras murcharam em sua garganta, e um tremor subia pelas extremidades do corpo, gelando pés e mãos.

– Segure firme, índio – ordenou o holandês, que dava um nó complicado entre as hastes.

– *Re angaba ... re angaba ... benedicta es vos in mulieribus ... benedicta entre las mujeres... não! re angaba... re angaba...* não sei mais, Petrus Cornelius! nunca mais. – e largou a taquara, deixando-se cair de braços abertos sobre o monte de panos coloridos que o outro vinha acumulando na cela.

Petrus Cornelius acabou de dar o nó e mirou-o por cima dos óculos embaciados:

– Não sabe o quê? e para que saber? eu sei tudo. Isso não chega? Maurizstaad, lembre-se, índio, Maurizstaad! – o rosto luzia de aventuras – Maurizstaad! tudo é belo e sublime em Maurizstaad! Lá tem mais abundância de leite, figos e pão do que no país de Cucanha! Lá o mendigo é rei, apanha os presuntos que nascem nas árvores e bebe o vinho que corre nos rios; as montanhas são feitas de queijo e das nuvens chove o mais fino mel.

Lá você será major e eu general! Por que tanto sofrimento, índio? – e voltou a seu trabalho que ganhava forma dentro das breves paredes, sem se dar conta de que a máquina devia voar, e antes de voar precisava passar pela porta. E não fosse sua loucura e perturbação da mente, teria percebido também quanto o rosto de Francisco Abiaru embebeu-se de lágrimas desesperadas.

Nessa noite em que não conseguia dormir, Rainha Hécuba procurou-o, mais uma vez surgida do vazio silencioso das galerias, e foi enxotada com as palavras rudes, fugindo com a rapidez do vento à raiva de Francisco Abiaru, que a perseguiu como um demônio até que faltaram as forças, deixando-o prostrado num salão imenso, onde Personagens austeros o contemplavam desde seus retratos emoldurados em ouro. Na seguinte noite ela apareceu de novo, e ele a arrastou para dentro da cela, para gritar-lhe que não queria saber de seus presságios e seus segredos, que o deixasse em paz.

– É por não estares em paz que te procuro – ela respondeu. – Alimã me disse. – E retirou-se.

Muito Francisco Abiaru pensou naquele dia, quase desejando a noite. Quando Rainha Hécuba então surgiu, ele implorou para que entrasse.

E ela ficou até que os últimos gatos sonâmbulos cessassem suas correrias pelas cumeeiras da prisão.

Acorda sozinho, num estertor agônico: pela maneira de se darem ordem uns aos outros como se estivessem possessos, pela urgência com que fazem os prisioneiros saírem de suas celas e irem para o pátio encharcado de chuva, pela subversão absoluta da rotina e pelas excitadas atitudes do cara-de-lua, Francisco Abiaru constata que algo de muito sério acontece. Afaga-flor diz tudo em uma palavra: a Visitação. Uma frota no porto, com a notícia fulminante. Algo para daí um mês, quarenta dias. Não tem tempo para pensar: ouve a voz de Moisés Israel ou padre Vasco Antônio falando alto e grosso com o cara-de-lua, dizendo ter consigo uma carta do alcaide do cárcere para levar o índio sob sua custódia, estremecendo as arcadas com ordens de quem manda e não pede, abrindo a porta da cela com mão devastadora.

– Estás livre, Francisco – diz o padre, mostrando-lhe um papel.

Francisco Abiaru não consegue entender bem as explicações ditas em palavras embaralhadas, e mesmo o papel que é posto entre suas mãos nada explica.

– Estás livre – repete Vasco Antônio – ou quase livre. Irás estudar escultura com um mestre dos beneditinos. Consegui isso com o Vigário-geral. Ainda ficarás dormindo no aljube, mas durante o dia és um homem livre. O que me dizes?

– Não sei – responde Francisco Abiaru, embaraçado com esta terra portuguesa que tem humores de variação assim rápida: um dia lhe roubam a liberdade, noutro lhe tiram o poder de esculpir, noutro lhe devolvem as duas coisas ao mesmo tempo, amanhã quem sabe o matarão.

– Te alegra, homem, vai botando as sandálias.

Obedecendo, sem tempo de perguntar a razão do sumiço do padre, contendo a vontade de jogar-se em seus braços e chorar como criança, Francisco Abiaru é conduzido a uma sala onde um funcionário o faz assinar um documento e diz que deve recolher-se todos os dias à hora das *Vésperas*.

– Mas *Vésperas* do relógio, não essas do Carmo.

Na rua Direita, caminhando lado a lado com Moisés Israel em direção ao morro de São Bento, Francisco Abiaru é inteirado de tudo, e conhece a amplidão que pode ter o *jeito* no Brasil. E envergonha-se de ter pensado mal de seu benfeitor, que lhe restitui a liberdade e o poder de talhar a madeira. Fala ao padre de suas dúvidas quanto à sua perícia, acha que a perdeu. Vasco Antônio vai absorto, embrenhado em idéias que repentinamente espantaram de seu rosto a expressão de contentamento, está longe, divagante, e Francisco Abiaru percebe o quanto era forçada sua alegria e sua voz de tempestade. Indagado, com insistência, responde que não é nada e que ele, índio, pode considerar-se salvo, e isso é o que importa.

## O furor de Mestre Domingos

Benzido o Patriarca pelo Abade em meio a imponente cerimônia, foi posto sob o dourado dossel para tanto já preparado pelos aprendizes mulatos, e todos os frades mais uma vez se alegraram comigo, não poupando elogios, desta vez superiores aos que recebi quando dei por pronta Santa Escolástica. Rico e generoso, o Abade colocou-me quantia nunca vista em minhas mãos, logo destinada ao dote de minha filha para que se case com homem de posses, pois mulher pobre e sem dote é tormento para os pais; talvez Deus lhe dê a sorte de um ourives da rua do Ouro ou até um alferes que não se importe com essas questões de genealogia e atente mais para o quinhão que lhe tocará nas bodas. E assim mais cedo me vejo desobrigado das preocupações seculares para entregar-me à confraria de São Bento, à qual de coração já pertenço. E se Deus for servido levar para seu reino minha mulher que infeliz geme entre as dobras dos lençóis, é porque Sua bondade mais uma vez se manifestou sobre minha cabeça, liberando-me para todo o sempre dos selos do matrimônio, abrindo caminho para meu desejo de servi-Lo. Mas junto com a quantia do Abade veio o pedido, diria: a ordem – de esculturar um São José para o altar lateral, o que elevou meu orgulho quase aos limites do pecado, pois demonstra a confiança que em mim depositam estes santos homens. Feliz e venturoso é quem alcança tais dignidades sem perder a pureza e a modéstia.

Agora tenho ante mim este grande volume de cedro, maior que meu tamanho, quatro côvados bem medidos de altura por côvado e meio de largura, madeira que cortei há cinco anos e deixei envelhecendo para que perdesse sua natureza aquosa e vil. Está pronto para os primeiros cortes; as ferramentas se dispõem enfileiradas sobre minha bancada que para maior segredo e conforto trouxe para esta câmara atrás da sacristia. Aqui estão os macetes de todo o tamanho, as raspadeiras cada qual com seu formato e os camartelos bons para as tarefas de bater e cortar, aqui se ajuntam os compassos recurvos e retos, as fitas de medir, tudo o que necessita meu engenho, aqui estão minhas mãos pousadas sobre a mesa de trabalho, sobre a folha de papel, aqui está o lápis de esboçar, chato e comprido, com seu grafite redobrado. Tudo pede ação e movimento. Correm os minutos, aos quais se seguirão as horas e os dias, Chronos me agarrando pelo pescoço: o Abade, como sempre senhor de meu tempo, me impôs o prazo improrrogável de seis meses para a feitura da imagem, quer inaugurá-la no onomástico do Santo Pai de Cristo. Meu lápis já muito se alçou e fez seus riscos, mas as mãos afeitas ao Patriarca não sabem senão traçar o mesmo rosto, a mesma atitude do Nurciano. Folhas e folhas de papel já viraram bolotas amarrotadas que se acumulam ao canto, testemunhas doloridas de minha falta de idéia; tremo de pavor ao lembrar-me do risinho do frade mais astuto desta abadia, o único discordante, ao dizer ao companheiro de estala: "Veja só como o Patriarca se parece com a Santa Escolástica, a única diferença é nos cabelos raspados". Preciso pois calar este frade com a mais nova e inventiva imagem, e isto sem desobedecer aos cânones que prometi obedecer. Meus mestres do Reino conseguiam, por que a mim só me ocorrem as mesmas fórmulas? Nada mais diverso do que o Esposo da Virgem e o Fundador, em idade, caráter espiritual e época em que viveram. Por que não consigo fazê-los diferentes?

Aqui vou riscando a figura, e minha mão corre sobre o papel como se o lápis se acomodasse a um sulco previamente feito; e o ardiloso frade entendeu tudo, e neste momento seu comentário avulta acima de todos os elogios, torna-se a única voz verdadeira em meio aos louvores gerais, aquela que fala com a força da honestidade: ei-lo aqui atrás de mim, vigiando sobre meu ombro o correr do lápis, posso até ouvir o riso de quem sabe e entende que a Arte requer engenho superior, uma chispa de fogo que incendeia o espírito e faz tremer a Criação. Meu pobre lápis entretanto segue o vinco, vai contornando o mesmo nariz de sempre, os mesmos lábios, as mesmas vestes em seu planejamento com aquela dobra na flexão do braço, as mangas ovais dando abertura a mãos conhecidas. E a figura às minhas costas, se é tão sabedora, por que não me ensina?

Calma. É preciso concentração e paz. Apago o perfil com método, pouso o grafite na raiz dos cabelos e vou descendo sem pressa, quem sabe uma reentrância maior no afundamento dos olhos, um entreaberto nos lábios para aparecer os dentes, um rosto moço como deveria ter São José – afinal era moço, e não um decrépito como sempre se fez – uma entonação de alegria pelo nascimento do Filho. Isso. Mas não! este São José nunca será reconhecido, os fiéis não têm o dever de adivinhar de que santo se trata. Ademais, nunca vi São José assim brejeiro e feliz. Ah, se meu estado me permitisse, ah, não estivesse em lugar sagrado: esta nova bolota amassada com raiva iria juntar-se às outras acompanhada de uma blasfêmia terrível.

Ria, frade astuto. Hoje você me venceu. Levanto-me, meus olhos e meus membros pedem descanso. A visão dos aprendizes sempre me acudiu com sua qualidade apaziguadora: dá-me a certeza de que o mundo ainda tem regras firmes e valiosas.

Aprendizes também são necessários aos mestres.

Encontro-os obreiros e obedientes, ou assim a aparência me diz: José de Arimatéia vai adiantado na douração da Santana, passa o dedo na testa e o dedo assim engordurado cola-se à finíssima lâmina de ouro que depois encosta sobre o gesso umedecido, soprando-a de encontro à superfície, alisando-a com brandura para não romper-se. Por ora o metal ainda é fosco, mas logo o ferro de burnir fará a sua parte, deixando a flor da madeira faiscando de brilhos amarelados; *Boa-mão* ainda batalha com a barba de Santo Anselmo, depois que eu lhe disse para deixá-la mais natural, usando o instrumento próprio, um minúsculo ancinho de pontas duras que raspa o cedro à feição de pêlos. Difícil acertar, mas ajudo-o agarrando com força sua mão e imprimindo com ela as estrias por onde correrá a tinta de cochinilha e urucum. E minha força é tanta, tão pouco falta para ser ódio, que *Boa-mão* dá um grito de dor e fica me olhando, arquejante e surpreso. – "Siga" – ordeno-lhe, também confuso. *Olhos-grandes* ergue a cabeça e acompanha meu caminhar até a janela, onde o dia reluz obscenamente, cheio de verdes, azuis e de sol. Volto-me e pergunto-lhe pelo São Tomé, embora a imagem esteja quase à minha frente: mas não olho para o Santo, e sim para o aprendiz, as lentes grossas, a barbicha que é um acinte, a pele trigueira e suspeitosa, o ar de constante desafio. Ele não responde, apenas indica a obra, acompanhando a indicação com um sorriso que de imediato me lembra o daquele frade. Por que há pessoas inteligentes no mundo?

Aproximo-me da imagem, vejo que progrediu, e de modo bárbaro; o Duvidoso acentua sua suspeita de modo a que o rosto todo do santo se contrai num ricto que é misto de angústia e descrença. A mão que vai tocar a Chaga ganhou dedos petulantes, uma dança no espaço livre, dedos que tanto podem tocar como agredir. – "Não está certo, este São Tomé. Você deveria ter copiado dos mestres" – digo-lhe com aspereza. *Olhos-grandes* toma o Livro, posto ao lado do escabelo: – "Mestre Domingos, o senhor conhece bem as palavras do Evangelho de João, o senhor sabe o que São Tomé respondeu quando lhe anunciaram a ele que Cristo havia ressuscitado" – lê: – "*Nisi video in manibus ejus fixuram clavorum, et mittam digitum meum in locum clavorum et mittam manum in latus ejus, non credam*, se ele não enxergasse nas mãos do Senhor o sinal dos cravos e se não metesse seu dedo no lugar e se não pusesse a mão na chaga do peito, não acreditaria. *Non credam"* – ele disse. Arranco o Livro de *Olhos-grandes*: – "Mas também aqui estão as palavras de Cristo: *Beati qui non viderunt et crediderunt*, bem-aventurados os que não viram e acreditaram. E você sabe o quanto São Tomé depois pregou a Boa Nova na Armênia, na Pérsia e na Índia e sabe que ele morreu mártir, crivado de lanças dos inimigos". – "Sim" – diz *Olhos-grandes*, crescendo a voz – "mas depois do momento da hesitação e da dúvida. E é este momento que agarrei para minha imagem. É meu direito de artista". – "Seu direito, não de artista, mas de aprendiz, é o de obedecer aos mestres". *Olhos-grandes* afasta o corpo da bancada, cruza os braços. Os outros suspendem o trabalho, paralisados e expectantes. Ele então diz, encarando-me provocador: – "Sou do interior das Minas, mestre, uma terra onde não chegam as regras de Portugal nem as Ordens de religiosos de mosteiros, nem mestres, nem Abades. É uma terra onde Deus vela por todos, e cada qual o venera à sua maneira. Os artistas também". – "Mas aqui você é um aprendiz" – digo-lhe, uma nódoa branca enevoando as vistas – "não esqueça disso. As Minas são terras perdidas e sem fé, uma selva de índios, pagãos e brutos, têm muito a aprender, inclusive você". – "Mas é das Minas que vem esse ouro que recobre as imagens. E quanto a aprender, não sei se este é o melhor lugar. Estou cansado dessas réguas, desses compassos, das fitas de medir". – "Pois então vá embora!" – grito-lhe, tremendo de indignação – "vá embora e nunca mais me apareça na minha oficina!" – *Olhos-grandes* ergue-se como se há muito já esperasse a ordem, recolhe meticulosamente as ferramentas no alforje de lona e, ante minha ira, busca o pano de veludo para envolver o São Tomé, quando o detenho: – "Alto lá! o santo fica, a madeira foi dada pela Abadia, você trabalhou na minha oficina". – "Não, mestre Domingos, levo o santo, ninguém teria devoção por um pedaço de cedro, e eu fiz dele uma escultura". Perco a razão e o entendimento, empunho um pesado camartelo que está sobre a bancada e com golpes imensos, terríveis, vou despedaçando a imagem, os veios da madeira racham-se, as mãos do santo voam, a cabeça decepada rola pelo chão, as vestes ganham profundas feridas. Nunca fui tão poderoso e forte, e meu rancor não encontra empecilho nos braços dos dois aprendizes que flacidamente intentam segurar-me, quebro e destruo, rompo e despedaço com a sagrada raiva dos profetas até que do São Tomé nada mais resta que um amontoado de lascas esbranquiçadas, as entranhas do santo. O que o camartelo não consegue, meus dentes e minhas mãos completam o trabalho e mesmo os pequenos fragmentos são triturados com o peso de meus punhos e só termino a destruição quando meus braços não têm mais força para suportar o peso de si mesmos, e desabo-me sobre a banqueta, o peito ardido, o respiro sem controle, as veias batendo desvairadas nas fontes. Vejo a figura abjeta do aprendiz-demônio abrindo a porta e ouço dizer, como um insulto: – "Convença-se, mestre, quem não possui a inventiva desenvolve a decorativa. Volto para as Minas. Agora estou certo que lá é meu lugar" – e sai, deixando para trás os destroços espalhados. Miserável. Sabe que logo estará fazendo outra imagem, mais perversa que esta. Ah, Deus por que me fizeste assim?

Em meio à perturbação dos sentidos, vejo que surge outra figura na porta, que chega cautelosa, curvando-se. Segura um papel na mão avançada. Um índio guarani, de cabelos quase rapados, perguntando quem é o mestre Domingos.

## Os remorsos do Visitador

"Diga-me, Filipe, pode alguém servir a dois irmãos sucessivamente, e ser amigo de um e inimigo de outro?"

(Para fora, para além das escotilhas de sua câmara revestida em veludo rosa e aprimorada por gravuras de santos, o Visitador olha divagante o suave mar, onde um rastro de lua persegue o navio desde que anoiteceu.)

"Alguém pode conceber, Filipe, que o mesmo útero que gerou um corpo amável e generoso possa gerar outro, pérfido como a serpente? e que o filho mais velho seja tão leal e outro tão velhaco? Assim é, Filipe, assim deu-se com os Lencastre a quem servi – ao último ainda servindo nesta missão, ambos ostentando em seus brasões de prata de cinco escudetes e bordadura de sete castelos de ouro o filete negro posto em barra, sinal de bastardia, netos e bisnetos de D. João o Segundo por vias de leitos adúlteros. O primeiro Lencastre, D. Veríssimo, iniciado por cônego da Sé de Évora e morto Arcebispo foi meu guia e pastor, a quem obedeci a partir de meu ordenamento aos vinte e um anos; o segundo, D. Frei José – por sinal pai sacrílego de Crisóstomo de Lencastre –, foi meu padrasto e malfeitor, apesar de bispo também. Acompanhei D. Veríssimo em sua ascensão, até a subida maior ao cargo de Inquisidor-geral do Santo Ofício. Fui companheiro no vazio em que assumiu o cargo, num momento em que o Santo Ofício estava suspenso em Portugal por um Breve de Clemente X. Segui-o e consolei-o por ser Inquisidor-Geral sem poderes, sem réus passíveis de condenação e sem possibilidades de pôr hereges a tormento e muito menos de queimá-los. Nas longas horas em que passávamos a meditar no Palácio Episcopal só nos restava a lembrança de sua imensa atividade de Inquisidor em Évora, onde juntos atiçávamos o fogo da ira eclesiástica contra toda a espécie de delitos e, como uma sombra, vinha à lembrança daquele processo rumoroso em que se prendeu em Lisboa o Jesuíta Antônio Vieira, o grande Orador, no qual se obrigou o reverendo Velho a, ajoelhado, rezar o Padre-nosso, apenas para concluirmos: '...e não o soube dizer'. Mas desculpávamos a nós mesmos, afinal havia inúmeras acusações contra ele, sendo a menor a de dizer falsas interpretações da Sagrada Escritura, e a maior a de defender a veracidade das profecias de Bandarra. Ah, Filipe, hoje meus olhos se cerram de vergonha, o Orador do Brasil foi condenado a ser suspenso do ofício de pregar, ele que tinha a vida para a palavra nos púlpitos, e ainda mandou-se recolher todas as cópias de seu escrito chamado *Esperança de Portugal*. Mas havia também outras indigitações, como a da falta de limpeza de sangue, no qual circulavam jorros finíssimos, mas persistentes, de judeu. Solto, o Orador que a todos encantava capitaneou uma revolta contra o Santo Ofício, e foi ao Papa, e foi aos Príncipes, aos Duques e Cardeais e por fim obteve aquele Breve que nos condenou todos à inatividade."

(Filipe ouve, pálido por esse grave desabafo, proferido quando já se venceu quase todo o Oceano, rumo direto às terras do Brasil.)

"A sombra de Antônio Vieira nos consumia, muito precisaríamos fazer para, com ódio e impaciência, apagar aquela lembrança. Eram longas sim aquelas horas em que aguardávamos a Bula de Inocêncio XI restabelecendo o Santo Ofício em Portugal; já o sabíamos assinado, timbrado e expedido, mas havia obstáculos a vencer, léguas de estradas a percorrer, precisávamos contar com a má vontade de intermediários que tudo faziam para reter a Bula. Lembro-me bem: a cada dia, D. Veríssimo me perguntava: e chegou? Ao que tive sempre a resposta: não, Excelência, hoje não. Via-o afastar-se, contrair as mãos, tanto que tardava, tanto! Na qualidade de Notário cabia-me receber todas as cartas que viessem ao Inquisidor, abri-las, registrá-las e pousá-las em sua mesa. E cada manhã eu acordava e me dizia: hoje, hoje. E D. Veríssimo limitava-se a folhear antigos processos, estudando decisões, acertando despachos fantasiosos, no treinamento. Um dia, aconteceu: um cônego veneziano falador pelos cotovelos entregou-me, tirando, dos escondidos da sotaina, o Documento. Trêmulo de alegria, quebrei o lacre e li todo e examinei cuidadosamente o timbre e a assinatura de Inocêncio, e entreguei a Bula para D. Veríssimo, que acolheu com disfarçado descaso. Leu e apenas me disse: 'Recomeçamos. Há muito o que fazer'."

(Filipe vai-se esgueirando por aquela história fascinante como quem ouve uma história de cavalaria.)

"E recomeçamos de fato. Hoje conto as três centenas de condenados que se seguiram, as dezenas de Autos-de-fé que fizemos celebrar, os dezesseis que queimamos em carne e os dezenove em efígie e não posso crer que tenham sido tantos. Meu Deus, tantos! O Terreiro do Paço, lugar de lisonjas e galantarias, tornou-se lugar sinistro, até que tivemos de trocar os Autos para o adro de São Domingos, desde aquele dia em que no Paço houve um monstruoso Auto com sessenta penitenciados, com três queimas de hereges e ali houve uma tal pendência de arma entre o povo que pôs em perigo de fugirem todos os sessenta, às vistas de El-rei. Mudamos para o adro de São Domingos, mas nossa fúria era a mesma, uma vez supliciamos pai e dois filhos, outra um frade por dizer missa e confessar sem ordens sacras, outra queimamos uma velha de noventa anos por feiticeira, outra executamos sentença contra doze sodomitas... Era a sombra, Filipe, a Sombra que queríamos esquecer e que estava sempre em nossa cabeça, o velho ajoelhado rezando Padre-nosso, e que naquelas alturas já se retirara para o Brasil, lá para onde vamos, Filipe; retirara-se certamente para não enxergar com os próprios olhos tanta ira despejada e tanta amargura posta novamente à solta. Voltou para o Brasil, lugar dos degredados, para onde mandávamos tantos pecadores, Brasil um purgatório, talvez o verdadeiro, terra de cobras e aranhas e selvas e homens que devoram seus semelhantes. Que no Brasil viessem purgar todas as iniqüidades. Quando voltassem, voltavam puros. O Orador, porém, morreu entre os selvagens que tanto protegia. Para nós foi um alívio, dirias? Nem tanto, porque uma Sombra tem o dom de perseguir, segue os movimentos todos. E lá no Reino recomeçamos com maior força, procurando restabelecer o prestígio do Santo Ofício, o mesmo que alguns anos antes, antes da suspensão, fizera desenterrar os soberanos ossos de D. João, o Quarto e, perante a corte, presente a rainha viúva D. Luísa de Gusmão, presentes os príncipes D. Afonso e D. Pedro e perante o Arcebispo e o Inquisidor-Geral e todo o povo mandou-se despojar a ossamenta de El-rei de todas as suas vestes e insígnias e leu-se um processo infamante em que o considerava morto e excomungado como inimigo da Igreja para depois, num ato de benignidade, absolvê-lo; revestiu-se novamente a caveira, as costelas, as tíbias e as omoplatas com os símbolos reais e foi, por fim, autorizada a encomendação cristã e os restos novamente enterrados."

"Portanto nem El-rei escapava ao poder do Santo Ofício, que reinava mais que os monarcas. Eu era jovem nessa era, e ouvi em minha casa os impropérios indignados de meu pai, que erguia o punho para o céu e pedia vingança, ele que era um fidalgo com fidalguia anterior ao Reino, e que jamais pôs ninguém acima de El-rei senão Deus. Olhos assustados, nos persignamos ante aquela raiva ancestral e majestosa, e não tivemos sossego na rua: as gentes todas ardiam de cólera e temor, e esse foi um dia que nunca vou esquecer."

(Filipe não era nascido, ouve porém falar muito desse dia, como o mais negro do Reino, onde até o sol se ensombreceu e as aves deixaram de cantar.)

"Isso, Filipe, abra essa escotilha que impede a entrada do ar fresco e a visão do Cruzeiro do Sul, esta constelação que marca nosso ingresso no hemisfério de baixo do mundo. Veja bem como é belo o Cruzeiro, e como se destaca em meio a uma zona de obscuridade e ausência de estrelas, assinalando a bênção de Deus a estas paragens ainda não corrompidas; não é por nada que o símbolo do Salvador só aparece a quem cruza o Equador, nosso mundo europeu já não merece mais esta bênção, é um mundo velho e corrompido, onde a mensagem de Cristo estropiou-se a ponto de ser usada pelos homens para cometerem as maiores iniqüidades. O Padre Antônio Vieira sabia disso; agora percebo com toda a clareza da minha parca inteligência o quanto esteve certo em vir para cá, um mundo ainda capaz de ser salvo, um mundo puro, onde tudo está ainda por fazer. Ah, Sombra, tinhas razão. E no entanto, como nos fustigavas nossas consciências e mais e mais nos cegavas de ódio, D. Veríssimo e eu procurando de todas as formas odiosas escapar a teu anátema vingador, farejando trilhas de suspeita, encarcerando, atormentando nas varas e nas polés e queimando a todos sobre os quais se levantasse a mais leve suspeita, estimulando que pais delatassem filhos, que filhos delatassem pais, que a discórdia se instalasse entre vizinhos e amigos e parentes, enfim, que a presença do Santo Ofício se transformasse em um espectro onipresente e irresistível."

"D. Veríssimo crescia em dignidades, foi feito arcebispo e nessa qualidade sagrou seu irmão D. Frei José, carmelita calçado, nomeando-o bispo de Miranda e depois de Leiria, capelão-mor, e fazendo-o do Conselho de Estado. Foi um primeiro aviso, pois D. Frei José de Lencastre, após a sagração episcopal, reuniu-se com seu mano e sei que pediu meu afastamento das atividades notariais; coisa reles, de intrigas mesquinhas, o homem era pequeno: apenas queria pôr em meu lugar um protegido, a quem chamavam burlescamente de 'cunhado' de D. José, irmão de certa mulher, etecétera. D. Veríssimo, para grande contrariedade do outro, negou o pedido, e alegou as razões já sabidas do povo para tanto, o que certamente não foi do agrado do D. Frei José, que nem por isso se acovardou: longe de assumir seus bispados, emaranhava-se na vida da Corte, ganhando prestígio; a serpente apenas aguardava a sua vez."

"Mas quando há vida não se pensa na morte, e por esse não pensar, perdi-me. Assim como o raio cai sobre a casa e a destrói sem o menor aviso, D. Veríssimo tombou fulminado por uma falha do órgão do peito, e isto já no reinado de nosso atual D. Pedro o Segundo, lançando-me no mais triste desamparo, sem valimentos e proteções, a não ser a graça de El-rei, que me queria bem, temos a mesma idade e os mesmos gostos, chegou a darme o título de cônego honorário. Mas um rei sabe que, acima de seus gostos, há questões mais graves, e que não podem ser suplantadas. Rende-se, por assim dizer, ao bem do Estado. Você acredita nisso, Filipe? Quando D. Frei José de Lencastre foi nomeado Inquisidor-Geral, isso nem causou surpresa, pois para tanto vinha-se preparando havia muito e muito tramando."

"Cair em desgraça é um fato natural da vida de quem se socorre de ofícios públicos, mas sempre que isto acontece, é uma catástrofe, e nos julgamos insultados e preteridos, e nosso valor pouco evidente. Sim, caí em desgraça, mas por interferência generosa de El-rei caí de pé:

exigiu do novo Inquisidor-Geral que me mantivesse em cargo de realce pelo menos na titulação e assim fui jogado como guarda de uma montanha de processos mofados, no posto de Custódio dos Arquivos do Santo ofício, que fica naquele grande e triste edifício do Rossio."

"No dia em que meu antecessor entregou-me as chaves e eu mesmo a pus na fechadura e entrei em meus novos domínios, um bafio de séculos e poeira me aguardava. A primeira coisa que fiz foi ajoelhar-me e bater no peito, imprecando aos céus tanta infelicidade, eu que me sentia na força de meus cinqüenta e poucos anos, com tantos serviços a prestar à causa nobre da pureza da fé. Foram dias, semanas e meses em que lutei contra minha própria natureza, na tentativa de aceitar meu desvalimento, enquanto via D. Frei José de Lencastre e o novo Notário entregarem-se a uma sanha desmedida em seu trabalho, fazendo sucederem-se os autos-de-fé com a regularidade de quem desejava suplantar seu irmão de memória ainda tão fresca."

"Veja como é a vida, Filipe: nesse tempo, vendo de fora todos aqueles acontecimentos, eu meditava em meio a meus porões recamados de papel que durante todo o tempo em que servi a D. Veríssimo nunca tivera ocasião de parar e pensar. Intuindo algo, passei a misturar-me em meio ao povo como um simples padre e tendo deixado crescer esta barba grisalha que você vê, ninguém me reconhecia; nos domingos de Auto-de-fé ia juntar-me à plebe em São Domingos, e dali, de baixo, sem alva, sem estola, sem brilho reluzente a que estava antes acostumado, as cenas de morte e suplício ganhavam nova existência; o fato era o mesmo, rigorosamente o mesmo, meus olhos é que eram outros. Sabia, sim, que havia a mão de Deus orientando tudo aquilo, que era preciso preservar a dignidade da fé arranhada, mas era tudo muito estranho: eu acabava por sentir-me um igual àquela infeliz que, tendo pedido para morrer na fé católica, era garroteada e sufocada antes de ser queimada; mais solidário ainda me sentia daqueles que queriam morrer na fé de Moisés ou de Maomé, que não tinham o benefício do garrote prévio, e que, quando começavam a tossir desesperados em meio à fumaça e quando as primeiras chamas atingiam seus rostos, gritavam como loucos, pedindo que a alma se desprendesse logo do corpo, para que o momento fosse breve e libertador."

"Ah, a aflição, Filipe. Retirava-me para meus porões mas, sendo dia santo, não trabalhava, sentava-me ante aquelas ordenadas pilhas de volumes, processos onde tinha obrado com toda a veemência, mas cujo conteúdo nunca me dera ao trabalho de examinar, deixando tudo ao encargo dos oficiais menores que para isso existiam. Todos os processos já chegavam a mim no ponto da sentença, e me cabia a mim dar o despacho de conclusão ao Conselho Geral para o trâmite de praxe. Ao largo dos processos e sem conhecê-los a fundo, me cabiam tarefas dinâmicas, práticas e eficientes, substantivas. Muitos caminhos do processo não cruzavam pelas minhas vistas, por insignificantes ou por caberem a outro oficial, mas isso era de somenos, desde que se alcançasse o fim desejado. É bem verdade que quando D. Veríssimo era apenas cônego em Évora e lá Inquisidor da paróquia, elaborei estes processos, mas como eram apenas preparados na paróquia, tinham em Lisboa ou Coimbra um seguimento que nos escapava totalmente. Resultado de tudo: concluí nos domingos dolorosos que eu era guardião de bens que não conhecia."

"E foi justamente em um destes domingos que tomei uma daquelas pilhas numeradas, abri o cordão grosso que a prendia e peguei um dos processos, assim ao acaso. Tudo me pareceu regular, citações, notificações, termos de audiência, etecétera. Tratava-se do caso de um comerciante de Penafiel acusado de haver dito que absolvição dada pelo padre era ociosa; que bastava a absolvição de Deus. Portanto, clara heresia calvinista ou luterana. O homem foi posto a tormento e confessou tudo; na inquirição posterior, sem tormento, afirmou que só as muitas dores é que o obrigaram a confessar. E reafirmava sua fé católica, apostólica, romana e que acreditava sim que a absolvição do padre era um sacramento e os pecados ficavam perdoados. Até aí os Regimentos do Santo Ofício estavam sendo cumpridos. Mas notei, logo a seguir, que o Inquisidor mandou requisitar testemunhas novas e depois mais outras, até que encontrou testemunhas que servissem ao que desejava. Aos depoimentos que não incriminavam o comerciante o Inquisidor anotava em letra vermelha, à margem, a observação: *non placet*, não agrada, e deixava de lado. E assim foram vários testemunhos, inclusive de sacerdotes. Venceram a palavra de dois peixeiros e de um magarefe, que descobri serem credores do comerciante que não era lá muito cumpridor de suas contas. Aí o Inquisidor deu-se por satisfeito, encerrou o processo e o mandou a mim, e lá pude ver, de minha própria mão o despacho apressado de encaminhamento ao Conselho, o qual, reunido, sentenciou o réu ao degredo perpétuo na África, tudo sancionado e aprovado por D. Veríssimo. Me correu um gelo pela espinha imaginando que este homem deveria estar até agora longe de tudo, de sua família, de sua pátria, numa pena sem volta, curtindo a injustiça, quem sabe morto de febres. Foi um dia negro, Filipe. Antes não tivesse mexido naquilo tudo."

(Filipe quer dizer alguma palavra de conforto ao Visitador, que vê com a cabeça enterrada entre as mãos, já nem olha mais para o Cruzeiro do Sul, e parece alheio a tudo em volta, fala para consigo mesmo. Mas Filipe não pode, o sufocamento da garganta é pior que o garrote do qual o Visitador falava.)

"E assim, Filipe, fiz naquele domingo. E prossegui na segunda-feira, e na terça. Na quarta-feira estava arrasado de dor, tantas eram as infâmias, falta de dignidade, o escamoteamento de peças; o que antes eram apenas minúcias, foram por fim decisivas para as condenações. Como não enxergara aquilo tudo, meu Deus? Sei, entretanto não queria. Isto, simples: porque não queria. E quem não quer, não vê. E você sabe por que agora o atormentado era eu? não desconfia? Não pode imaginar sequer na força da Sombra que voltava, o remorso, a imagem do Velho ajoelhado tentando recitar o *Pater Noster*. Você deve pensar que eu não deveria estar me culpando tanto, pois afinal não tive uma participação direta no processo, e na época o Inquisidor-Geral era outro, etecétera."

"Mas preciso dizer para alguém, e só pode ser a você, a única pessoa em quem confio neste navio onde tremulam no mastro mais alto as armas pontificais. Era eu, eu próprio que jovem padre, a mando de D. Veríssimo já adentrado nos meandros do poder, era eu que segurava um círio penitencial ao lado do Velho ajoelhado e no instante em que ele vacilou ao dizer *et non inducas in temptationem* eu, que poderia ter-lhe murmurado as palavras, não o fiz porque não quis dizer, por ódio. Queria que ele errasse. Notei que apenas o cansaço e o temor e os anos de vida faziam o Velho hesitar, e a caridade mandava que o auxiliasse; estávamos afinal tão distante dos inquisidores que isso passaria despercebido. Mas não, fechei meus lábios, que errasse o judeu e apóstata, e ele não concluiu a oração e tivemos pretexto para condená-lo. Eis minha culpa, Filipe. E a de D. Veríssimo: a de obter, por todos os meios – afinal já era bispo – do Inquisidor-Geral da época que mandassem o Orador para o cárcere de custódia em Coimbra, um lugar sujo e infecto, onde ele quase morreu das umidades que escorriam das paredes; apenas salvou-se por intercessão de alguns seus amigos."

"Talvez agora você entenda a força desta Sombra, Filipe. Ou não entende? talvez você seja moço demais para saber o que é remorso. Mas o pior estava por vir. Muito pior. E aconteceu no dia em que, transido de pavor, tomei na mão o volumoso processo do Padre Vieira. Ah como hesitei, que dias de tortura, Filipe. Mas numa tarde de janeiro, em que uma tênue geada branqueava os beirais das casas e o frio azulava minhas mãos, atrevi-me a retirá-lo da prateleira onde eu havia muito sabia que ele estava. Um processo como os outros, aparentemente regular. Mas não era apenas um processo: havia papéis soltos em quantidade, e não estavam numerados e nem rubricados. Abri um deles. Sabe o que vi? Uma carta, Filipe, assinada por vários colonos do Brasil em que pediam providências contra o Orador por imiscuir-se em seus negócios de compra e venda de índios reduzidos à escravidão. De seus púlpitos na Bahia o Padre invectivava os colonos com epítetos que faziam com que se retirassem da igreja, um escândalo. O Padre, com seu prodigioso dom, remexia com as consciências, atiçando cóleras contra os usineiros do açúcar, pregando uma aberta revolução contra eles que eram a salvaguarda de El-rei em terras brasileiras. E depois mais cartas, era preciso fazer algo, *nem que se inventasse*, diziam. A coisa chegou a um ponto tal que se abriu o processo eclesiástico, e inventou-se culpas – aí vi que eram inventadas, Filipe. Todas elas. A Sombra agigantava-se, vergando meus ombros. Quase rasguei as folhas daquela inquirição do *Pater Noster*. Que dias, Filipe. Pensei que ia ficar demente de remorso. Não dormia, não comia. Mas o que fazer, Filipe, o Orador retirado para o Brasil, embrenhado na catequese do Maranhão? Quando eu soube que morrera, fiquei doente, fui recolhido ao hospital."

"E ali estava havia quase um ano, como você sabe, quando foi decidida essa Visitação ao Brasil. Aos poucos restabelecia-me e ainda fraco reassumi meu posto, enojado de tudo, disposto a retirar-me para Alcobaça. Foi quando a luminosa luz surgiu: El-rei lembrou-se de mim para a Visitação, e mandou saber se eu me encontrava com forças para aceitar o encargo. Imediatamente a Sombra ressurgiu, mas com outra qualidade. Não mais como algo a ser temido, mas para ser resgatado. Venci meu desalento, venci meu cansaço, minha fraqueza, tornei-me de novo forte, fui em pessoa a El-rei dizer que aceitava. Ele de início duvidou, vendo que as marcas da doença ainda estavam em meu rosto; mas, fiel à sua palavra, determinou que se lavrasse a carta régia. D. Frei José ofereceu pouca resistência, envolvido que está com o Tribunal de Goa e com suas tramas para receber o chapéu de cardeal. E, quem sabe na sua perversidade, espera que eu morra de febres malignas."

"Mas para mim é indiferente: esta viagem tem sabor bem diverso daquele que pensam. Não posso ressuscitar o Orador para pedir-lhe perdão, mas se puder fazer alguma coisa de bom por aqueles a quem ele amava, poderei morrer em paz e reconciliado."

"Afinal você, Filipe, pode estar pensando que esta viagem é um grandioso equívoco, que eu deveria ser outro, ou que outro deveria estar em meu lugar, e que o universo vira-se de cabeça para baixo. Sossegue. Sua juventude entende as coisas rigidamente e me parece certo que assim seja. Mas o passar dos anos e os sofrimentos farão você entender: a arte de viver reside justamente no abandono do rigor, de modo que o mais sábio é aquele que na aparência é o mais imbecil. Filosofias? A doença do remorso nos faz filosofar. E até aceitar esta circunstância fantástica de ser um Visitador às avessas, não acreditando em uma vírgula disso que chamam de *missão*. Mais uma vez, acalme-se. Você não será cúmplice de desídias. Saberei honrar meu dever, mesmo que isto me custe; é como diz o Orador, em um dos sermões que aprendi a gostar: 'não há tarefa mais dificultosa do que dar razões a uma sem-razão'. Mas quero desfrutar do direito de cumprir a missão a meu modo."

"Você entenderá, quando chegar a hora."

## Aprendiz de Mestre Domingos

Abadias também possuem seus arcanos, densos e impenetráveis, feitos de escadarias revolutas que se perdem em meio a paredes antigas, como que tragadas para um interior maravilhoso ao qual só têm acesso aqueles enfiados em buréis negros, homens eternamente silenciosos e de cabeças curvas murmurando rezas em procissões diárias pelas varandas ao som de campainha. Há também, como presença de todos os minutos, as ladainhas e responsórios repetidos em cantochão na igreja abacial que embora tenha aberturas à frente, ditas *para o povo*, na verdade admite acesso apenas pela porta lateral que, vinda do claustro, abre-se diretamente para a nave. Lá é o domínio da magnificência e da riqueza, sempre faladas com respeito e admiração pelos aprendizes que já tiveram a honra de serem admitidos a esses ofícios solenes, celebrados à meia-luz, em meio a névoas de incenso e delicadezas de enigmáticas reverências, incompreensíveis à vulgaridade e pouca sabedoria de quem não pertence ao Sodalício transplantado intacto às terras dos sabiás e das araras, do sol e das tormentas extemporâneas que desabam com a violência dos primitivos tempos da Criação, fazendo ruído nas calhas despejadas em barricas logo transbordantes.

Em meio à tranqüilidade das tardes ouve-se, vindo das entranhas da Casa, o som de um órgão tocado por mãos destras, de modo que sempre há pairando, trazido por aragens encanadas nos corredores, um seguimento de perfumes, melodias, sinetas e preces, nem de longe comparável ao clima de liberdade e ausência de mistério das Missões, onde tudo se processava à vista de todos, povo e padres em contínua comunhão, Deus não sendo pertença de ninguém mas um domínio aberto e acessível a quem quisesse tomar parte das cerimônias; mesmo quando os jesuítas se congregavam – eram tão poucos – na igreja principal, o faziam ante os olhos escancarados de toda uma pequena multidão que os enxergava praticando os ritos em língua não mais desconhecida, e não se incomodavam de serem observados, parece até que assim queriam.

Mas esta abadia possui um outro lado, mais patente, só que menos nobre, uma cozinha subterrânea em que se esfalfam criados e escravos, e sempre cheirando a gordura e pão recém-saído do forno, onde são comuns os guinchos encarniçados de porcos sendo abatidos no pátio e que por isso mesmo é continuamente lavado por servos de tamancos e aventais salpicados de sangue. E são chiantes carroças que entram para as despensas com suas cargas de melões dourados, abóboras, maracujás aromáticos, frutas-do-conde e carambolas, trigo e arroz. E conseqüentes cubas de folha que saem dos recônditos das clausuras, plenos de merda e mijo, deixando nas pedras um rasto fétido que os vassourões pressurosos logo tratam de limpar. Pode-se dizer que numa abadia convivem o céu e a terra, a beleza e a feiúra, o sujo e o limpo, a gula e a penitência, num desencontro apocalíptico. O que fazem estes homens? pergunta-se Francisco Abiaru, passadas duas semanas. O que fazem além de orar? como gastam os momentos em que não são vistos nem ouvidos?

– Trabalham nos livros e meditam – diz-lhe José de Arimatéia, absorto em abrir um maço pardo que revela seu conteúdo de mais lâminas de ouro, tão delgadas que quase se pode enxergar através delas. Com método separa-as em montezinhos de dez folhas com três polegadas cada um.

– Preciso muito cuidado com esse ouro, faça o favor de não respirar aqui perto, senão acabam voando – arremata, perturbando-se com a insistência com que Francisco Abiaru cola-se à bancada, vendo tudo aquilo, sem saber por que a Santana, que foi tão pobre, deve ter o manto recoberto por tanta fortuna, não basta pintar?

– Isto é porque você não viu a igreja, índio. Lá sim é que é riqueza – diz o aprendiz, aguçando em Francisco Abiaru o desejo de um dia lá penetrar, quem sabe até tocar no mavioso órgão que, lhe asseguram, tem tubos de quatro, cinco côvados de grandeza, e que vão ficando pequeninos até o tamanho de um flautim, não maior do que um palmo. *Boa-mão* tem a testa e as bochechas lustrosas de suor pelo esforço de lixar cada fio das barbas do Santo Anselmo, o que vem fazendo há quatro penosos dias, e por vezes desanima, limpando-se com um lenço encardido, dizendo:

– É terrível, é terrível. Mestre Domingos é muito exigente.

Ao que José de Arimatéia sempre responde:

– Não se queixe, caso contrário nunca vai chegar a mestre como ele.

*Boa-mão* retruca no mesmo tom:

– Não pense que você é mais do que eu para me dar conselhos.

Segue-se a resposta:

– Sou sim, comecei primeiro.

É o início de uma disputa de hierarquias que sempre acaba no ponto extremo em que cada um já passou a mão em canivetes. Nesse perigoso limite desfazem a lide, retomando, agastados, o que faziam. E Francisco Abiaru reconhece que portugueses são muito rígidos nesta história de classes de aprendizes e conclui por óbvio que a última deve ser a sua, pois logo à chegada Mestre Domingos pôs-lhe à frente um tronco de árvore ainda com casca e ordenou, entre os dentes cerrados:

– Olhe. Olhe e pense.

E pensando e olhando está desde aquele dia, sem que nada lhe ocorra, sem coragem de empunhar os instrumentos embotados que lhe deram.

Entregue a uma liberdade inesperada, Francisco Abiaru, a caminho diário de seu tronco, passa por outra oficina, domínio dos artistas menores, todos de tez pardacenta, igualmente tangidos pela mão poderosa de Mestre Domingos, e cujo trabalho consiste em talhas ornamentais; nada completo e acabado, mas somente partes que se irão encaixar a outras partes que eles próprios não conhecem: folhas de acanto enroscando umas nas outras suas hastes voluntariosas, compondo uma fita diabólica sem começo nem fim e que tanto pode ser iniciada pelo meio como pela direita ou pela esquerda, tanto faz; ábacos que se sobreporão a capitéis ignorados; estrágalos que arremataram colunas que outros esculpem; arabescos de baldaquinos previstos à proteção de santos ainda não talhados, enfim peças de um jogo de armar onde só o Mestre sabe o todo e que a ninguém revela.

Tristes estes aprendizes, curvados a um serviço que somente será notado se for mal feito, pois olho nenhum pára para verificar o acerto do maior ou menor afundamento de um baixo-relevo, nem medir se a distância entre os dentículos de uma cornija se equivalem, nem se as empostas que coroam os pilares estão eqüidistantes da pedra-chave de um arco: isto compete a quem concebeu os projetos, um Ente inalcançável e de existência materializada nos momentos mais diversos, quando surge para corrigir e repreender, o rosto alterado por outras preocupações que, dizem, estão voltadas para a esculturação de um São José que não sai nunca de sua idéia. No pátio, à sombra de um socalco reforçado de tijolos cozidos, trabalham negros em obras de cantaria, este um labor que exige não apenas destreza, mas braços possantes e precisão no corte de pedras que se destinam muitas vezes a ficarem sepultadas sob a terra que tudo esconde.

Os mais caprichosos são postos a talhar algum soco para ombreiras de portas interiores da abadia, onde jamais porão os pés, ou então degraus conducentes ao supedâneo do altar da capela-mor, sempre velado a indagações profanas.

"Vou acabar igual a um desses", pensa Francisco Abiaru, vendo entrar dia e sair dia sem que Mestre Domingos se digne a dar-lhe qualquer trabalho: quando perguntado, diz sempre:

– Olhe. Olhe e pense – e vai conversar com os outros dois, entregando-o a reflexões esmorecidas, onde aparece nebulosa a verdade: antes ser condenado a não esculpir do que ser réu da condenação de talhar a madeira sem saber o que pode ser do agrado ou do desagrado do Mestre. E o tronco ali, hirto em sua ríspida casca, testemunho das impossibilidades de Francisco Abiaru. Em certo momento pensou no escravo esmigalhado pelas rodas, mas na oficina se respira um ar pesado, mormacento e embotante, a presença de Mestre Domingos pairando igual a uma nuvem opressiva prestes a desencadear-se sobre os aprendizes; não é por nada que se contraem à chegada do todo-poderoso, e apenas se animam a falar quando não está perto.

E como falam. *Boa-mão* narrou com todas as vírgulas e exclamações a cena terrível em que *Olhos-grandes* foi expulso; ele, índio, por haver chegado apenas no final da cena horrível, não pode avaliar o que foram as palavras, os gritos, a fúria, o quebramento do São Tomé, algo para nunca mais na vida ser esquecido. Depois disso seguiu-se este vazio que vê, este medo de fazer alguma coisa errada e ser expulso também.

– O que faço, padre – Francisco Abiaru pergunta a Moisés Israel, que agora o visita em dias alternados no cárcere – para não me meter muito com aqueles beneditinos? Nunca se sabe o que podem armar. E o senhor pois concordou que eu fosse ter aulas justo na abadia? não consigo entender.

– Em primeiro lugar, foi decisão do Vigário-geral e em segundo tu podes com isso te livrar da Visitação. Agüenta o Mestre. Qualquer dia ele te dá alguma coisa para fazer.

Francisco Abiaru não está convencido de que isso é o melhor para ele e começa a falar na grosseria do Mestre Domingos, conta a destruição do santo, as ordens violentas, o que fará ele um pobre índio desgraçado que nada mais quer do que voltar para seu Povo e lá trabalhar no seu ofício que Deus lhe deu? E espicha a narrativa dos medos dos outros aprendizes, o temor de serem expulsos e tão possuído está em pintar as cores mais horrorosas da oficina que em certo instante suspende a fala: o padre Vasco Antônio está ali apenas de corpo, suas orelhas o ouvem, mas já adentrou em um daqueles estados de alheamento que deixam Francisco Abiaru inquieto: é como se faltasse a única base de que dispõe aqui nestas terras do Brasil, ele não pode faltar-lhe, não neste instante em que sente perder-se até seu nome, sua língua guarani, sua virtude.

– Sou um ignorante, padre, mas quem sabe posso ajudar? o senhor está com a alma triste.

Moisés Israel volta-lhe o rosto desfeito, de contornos que se esmaecem, os olhos sem o brilho e a força com que chegou na prisão, empunhando a ordem: um breve tremor repuxa a intervalos a pálpebra direita e faz surgirem rugas até então inexistentes.

– Diga, padre – incentiva Francisco Abiaru, não acreditando que está a dar coragem, imagine!, a um padre, um ser que sempre deve dar coragem aos outros.

– A Visitação, Francisco. Ela vem como Caronte na sua barca. Não posso fazer nada. Não, não me diga que posso fugir, reunir-me aos irmãos missionários. Ninguém me ajudaria, e fugir é coisa que não faço. Queimam minha efígie em Lisboa, e qualquer um pode matar-me sem nenhuma culpa. Seria uma meia-vida. Antes estar morto. – A morte, pela primeira vez soando naqueles lábios. – Matar não matam. Relaxam ao braço secular, como dizem. O poder civil é que executa. O rei, em outras palavras.

Francisco Abiaru não percebe onde está a causa de tantas ânsias, alegra-se, atreve-se a tocá-lo no ombro, confortador:

– Mas se o senhor for morto, padre, eu continuo a ver as coisas pelo senhor, e o senhor não morre. Vejo o sol nascendo, vejo as estrelas e a lua, vejo os raios e penso: não sou eu que vejo, é meu amigo padre Vasco Antônio. Quando eu comer uma comida ou beber água, penso: é o padre que bebe e come. Sempre fiz isso pelos meus antepassados, por que não posso fazer pelo senhor? e vou alongar a minha vida até me caírem os dentes, para que o senhor viva muito. Prometo, juro.

O padre Vasco Antônio o atrai para si com braços amplos, envolvedores, quentes de ternura:

– Meu Francisco, meu querido. Antes eu tivesse essa fé antiga de teu povo. Hoje eu não estaria sofrendo tanto, enredado nesse pavor maior que posso suportar. A morte não é mais alguma coisa que eu pensava para um futuro distante, ela existe e vem cruzando o mar. Se aproxima com pressa o meu *Dies irae, dies illa*, em que tudo será cinza fria. Tu não vais entender, Francisco, nem quero que te magoes, mas eu preciso ver a vida com meus próprios olhos, eu vivo, eu olhando, eu comendo, eu bebendo. Por mais que se queira, não se vive a vida de outro. Cada um tem a sua, própria, boa ou má. Tu sabes lutar, Francisco, lutaste contra as águas do rio de la Plata, lutaste e não morreste, dobraste o destino, para ti não há morte. É difícil que entendas o meu medo.

E sem que Francisco Abiaru possa dizer nada, o padre descansa brandamente a cabeça em seu ombro e assim fica, imóvel, como querendo capturar dele índio uma força que não possui. Pobre Vasco Antônio, tanta sabedoria e ao mesmo tempo tanto horror, de que adiantaram os livros? Agora que se trocam os papéis como nos teatros dos jesuítas, Francisco Abiaru sente que aquela força que pulsou em suas veias em meio à tempestade volta com a mesma precipitação: alguém dele depende, como um filho do pai. E vendo a si mesmo, o que são suas pequenas aflições ante dor tão completa?

– Descanse, padre. Pode dormir – diz-lhe num sopro, enxergando a vela gastar-se minuto a minuto, até que resta um pequeno morrão que Francisco Abiaru esmaga entre os dedos.

## Mestre Domingos e suas angústias

Não entendo a fúria com que esse guarani desbasta o tronco, possuído de um destemor insuspeitado, rasgando a casca do cedro com as mãos, ajudando-se com formões quando ela não cede, ele que até agora apenas sabia contemplar o monumento ereto em meio à oficina. Observo sua agreste determinação, e como obedece a uma idéia que está dentro de sua cabeça, pois não fez risco algum. Diz que foi escultor, nas suas Missões. Mentira. Decerto lá na selva esculpia o mesmo serviço dos meus negros, e aqui se faz de artista.

Agora limpou completamente o tronco e, para meu espanto, examina os veios da madeira, seguindo-os com a unha de cima a baixo, avaliando a errância das linhas e dos nós, bem como deve fazer um escultor de santos antes de pôr-se à tarefa; gira em volta do cepo, pára, aquilata a altura e a largura, pede a José de Arimatéia a fita graduada e mede a circunferência na parte de cima e na de baixo, senta-se à banqueta, cruza os braços, estira as pernas, medita, ergue-se, volta para junto da peça movido por uma decisão, tira um lápis do bolso e risca alguns traços sem nexo algum. Diretamente na madeira! – "O que você vai fazer, índio?" – dobro-me à curiosidade. – "Um Cristo" – ele responde, sem me olhar – "um Cristo na Cruz". Blasfêmia ou não? Deixá-lo esculpir o Filho de Deus? Graves responsabilidades incumbem aos mestres na escolha dos motivos; como se atreve um guarani a essa pretensão? – "Você é batizado?" O índio larga suas medições e ante a minha perplexidade e dos dois aprendizes, vem para minha frente, abre os braços e cai de joelhos e com os olhos duros em mim, começa a rezar em voz monocórdia e cada vez mais alta: – "*Credo in unum Deu, Patrem omnipotentem ... Credo in unam Sanctam Catholicam et Apostolicam Ecclesiam* ... e assim vai até que chega quase sem fôlego e aos berros ao *et vitam venturi saeculi, Amen!*"

Corro ao Abade, encontro-o em sua mesa, debruçado sobre as *Confissões*. Peço desculpas por importuná-lo em suas leituras, e de pé, porque o respeito não me permite sentar, pergunto quem é este índio que me mandaram, e por que mandaram? o senhor Abade deverá desculpar a interrogação assim abreviada, mas há alguma coisa misteriosa no guarani, algo que não compreendo. – "O que você não compreende, Mestre?" – pergunta o Abade, repondo no tinteiro a caneta com que fazia anotações à margem do livro. – "Tem alguma coisa nele, estranha, perguntei se ele era batizado e ele rezou todo o Credo, como se estivesse me ofendendo". – "E você está intrigado, quem sabe com medo, não está com medo?" – "Talvez, Abade". – "Medo de quê?" – A pergunta é desconcertante como foi a reza do índio. Mas as palavras me brotam num jato: – "Medo que ele saiba mais coisas". O Abade sorri, balança a cabeça: – "Sabe, sim. Não é o bruto que você pensa. Talvez saiba mais do que você. Não digo na arte da escultura, mas em todo o resto". Busco o encosto da cadeira, e, vencendo toda reverência, sento-me, as mãos caídas. – "Não quero mais aprendizes com idéias. O senhor sabe como fui insultado por aquele mameluco, tive de mandar embora". – "E aproveitou para destruir uma imagem" – conclui o Abade. – "Mas ele me levou a isso, era uma escultura que não estava conforme com as regras e ainda não estava benta". – "O furor é às vezes santo, como teve Jesus quando expulsou os mercadores do templo. Mas em seu caso, Mestre Domingos, um homem que pretende um dia cingir a cogula dos frades, pode ser um grave defeito". – "Mas este índio... o senhor ainda não me disse por que me mandaram". O Abade junta as mãos, tocando nos lábios com a ponta dos dedos: – "Ele é um escultor, e diz-se que com talento. Não é natural que esteja numa oficina para ser aprendiz de um mestre do seu valor?" – "O senhor devia ver os olhos que ele me grudou, quando rezava o Credo". – "Mestre Domingos" – diz então o Abade – "é seu dever recolhê-lo como aprendiz, e não apenas por uma ordem minha ou um capricho do Vigário-geral. Há motivos superiores, a você está incumbida uma tarefa gloriosa, quase missionária. De modo bem simples: você deve transformá-lo num escultor cristão".

E o Abade é pródigo em informações sobre o achamento do índio e do Cristo em pleno mar, a sorte da

Ordem de estar justamente com um dos seus membros Frei D. Antônio de Ericeira entre os tripulantes da nau portuguesa, e que soube reconhecer no Cristo certos laivos de heresia; D. Antônio, que tem assento nesta abadia, houve por bem submeter o índio às interrogações do Santo Ofício, nesta terra representado provisoriamente pelo Vigário-geral que, como toda gente sabe, é um homem frouxo nestas questões de fé, mas teve a idéia de mandar o índio para cá até que se decida algo mais importante sobre o destino desse infeliz selvagem, mal sabendo que estava a dar uma gloriosa oportunidade de reeducar o índio de acordo com a teologia moral e a estética mais adequada. E mais me disse o Abade, que esta incumbência toca a mim, Mestre Domingos, na parte correspondente à arte escultórica e que portanto não posso furtar-me de pôr o índio no bom caminho, quem sabe não se pode dar à Humanidade mais um grande artista?

E ainda me asseverou o Abade que um Mestre foi feito para ensinar, não importando a quem, desde que tenha o pendor natural, que é um dom de Deus e que portanto tudo resumido e bem posto ele Abade já tem por resolvido que Francisco Abiaru confirma-se como aprendiz nesta Abadia e que a obediência é um dos sagrados votos que redime a alma propensa às rixas – e tudo diz veladamente, indicando a destruição do São Tomás como um pecado que não deve ser mais repetido. – "E, afinal" – disse, entre irônico e sério – "ninguém quer estar cheio de pecados quando chegar o Visitador de quem tanto falam, não é mesmo?"

São palavras bem emendadoras contra a raiva, e saio do gabinete abacial resoluto a merecer a superior benevolência de quem me fala com tanta sabedoria, disposto a desempenhar a missão que me é imposta, talvez mais leve que esta de lavrar o São José encomendado que ainda permanece escondido por detrás dos véus de minha súbita ignorância.

Piedosamente retiro do arcaz da sacristia um Cristo pregado na cruz, obra de dois côvados, e, chegando à oficina com a imagem, a deponho sobre um escabelo e digo ao índio com bíblica paciência: – "Queria fazer um Cristo na cruz? Pois aqui está um. Copie". O índio olha o Cristo, olha para mim, volta a olhar o Cristo, toca no radioso resplendor de prata, na tábua de prata onde está o *I.N.R.I.*, examina as gotas de rubi que escorrem das Chagas, os cravos de ouro que prendem o Salvador à cruz de ébano. – "Pobre Cristo. Nem toda prata nem todos os rubis e ouro do mundo não conseguiriam disfarçar a falta de arte desse escultor" – é o distraído comentário do guarani, que sequer olha mais para a Imagem.

Um inesperado constrangimento impede qualquer palavra e, sem ação, grito com José de Arimatéia que o trabalho da Santana vai muito atrasado, qualquer dia o Abade vai pedir contas; digo ao *Boa-mão* que dessa maneira as barbas de Santo Anselmo vão embranquecer antes que ele termine de lixá-las e assim dou as costas aos aprendizes e vou-me refugiar em minha câmara atrás da sacristia, onde me aguarda uma vasta folha de papel pardo, limpo, deserto, onde devo traçar a idéia para a imagem do São José. Folha hostil e miserável, não há sofrimento maior a uma pessoa do que uma folha em branco, quando nela devemos traçar e riscar e sabemos o quanto nossas idéias são poucas.

E não me contenho, não consigo apagar do pensamento o desejo de que o guarani tenha voltado a olhar com olhos mais benévolos para o Cristo que lhe apresentei, que descubra nele vestígios de verdadeira inspiração, que observe o sofrimento do Rosto e o retorcido dos músculos, que perceba o lavor da pele e a finura dos cabelos, que pressinta a inspiração divina que como um sopro orientou as mãos de quem o fabricou, que descubra, enfim, todo o talento e toda originalidade que, durante longos e penosos cinco anos, usei para esculpi-lo.

## O Visitador na Bahia

(Filipe desdobra os lençóis na própria cama, austera como convém a um colégio, mesmo nestes brasis; procura os travesseiros, encontra-os, perfumados e enfronhados, dentro de uma arca ao lado da porta, ali colocados por mãos santas femininas cujo único dever é obrar para que tudo se proceda nesta Casa com método e ordem, para que os homens possam realizar seus ofícios sem preocupações terrenas. Depois de realizado o trabalho, Filipe olha para a cama ainda desnuda do Visitador, lamentando que ele não queira se utilizar de um desses esplêndidos colchões de penas, preferindo o lençol sobre a tábua – e sem travesseiro, coisa que pedia já no barco, dizendo ainda ter muito do que se mortificar nesta existência para recuperar sua contabilidade nos débitos e créditos celestes.)

"Não vacile, Filipe, lençol puro. Não é por estarmos nesta festejada Bahia que vou sair dos meus hábitos. Isso, estenda o pano sem medo, acautele-se apenas de enfiar as abas para debaixo do lastro para que não se soltem durante a noite e eu precise acordá-lo para repor no lugar; eu mesmo faria, não tivesse os braços tão frágeis e com essa idade que espero você nunca atinja, na qual nosso patrimônio são o reumatismo e os pensamentos. Mas estou feliz, Filipe, como nunca estive em muitos anos, e até me posso colocar à janela como estou e olhar para fora, onde por detrás das sombras das bananeiras e palmas me autorizo a enxergar este céu tão luminoso que se vai enchendo de estrelas e cheiros tão confusos, onde nem distingo os bálsamos, de tantas as essências: jasmins, goiabeiras, magnólias e todas estas plantas que os padres nos mostraram hoje à tarde com tanto amor, e que produzem variedade nunca suspeitada de frutos e flores. Sim, a mão de Deus chegou até aqui, e talvez o Senhor tenha-se esmerado em tantas belezas apenas para revelar a nós, europeus, em momento tão adiantado na História, que ainda há esperança para a Humanidade. Aqui não cai a neve que tudo entristece e deixa as árvores com os ramos parecendo ossos descarnados e nos quais apenas pousam os fúnebres corvos com seu grasnido antecipador de tragédias. Você viu como as cores estão por todas as partes? e como há tonalidades de verdes? esta terra é abençoada, Filipe, aqui não há o Passado. Não, Filipe, não acenda a vela que as irmãzinhas nos deram; deixe que a noite vá pouco a pouco entrando pelo quarto com seus perfumes. Hoje não leio meu Montaigne e dispenso-o do restante do breviário. Aqui a vida é o mais forte de todos os escritos. E também quero usar esta noite para refletir sobre o acontecimento que se gravará em minha alma até o fim dos meus dias.

Diga-me, como me conduzi quando me prostrei ante o túmulo do Orador? Pressinto que disse coisas incompreensíveis, absurdas, fora de toda a lógica, represadas que estavam em meu coração há tanto tempo. Talvez os padres da Companhia tenham se indagado se o Santo Ofício não terá mandado para cá um insano. Na verdade, meu desejo era ainda muito maior, desejo de clamar e gritar que o Orador me perdoasse a fraqueza daquele dia em que fui tão vil, e compreendesse e perdoasse também toda nossa envelhecida sociedade que o expôs a tanta vergonha e humilhação; não obramos por ódio concebido, mas apenas porque julgamos que toda a verdade está com os decrépitos reis e rainhas que cingem nossas coroas milenares, e seus correspondentes acólitos e bajuladores; clamar que calcamos aos pés toda emoção, estreitando-a em rituais tão mecânicos que já perderam todo o sentido; dizer-lhe que nos absolvesse por não havermos entendido sua paixão por esta terra e seus legítimos possuidores, confundindo sua paixão com desregramento e impiedade e por sermos tão servis aos maiorais que pediam sua cabeça em um prato, como fez Salomé ao Batista."

"Enfim, pedir ao Orador que este Novo Mundo absolva o nosso Mundo, que se compraz em sua antigüidade e sua prepotência, e onde seus homens já nascem velhos, e que mesmo assim julga-se empunhando o facho de uma luz que há muito se extinguiu pelo vento das guerras entre irmãos e pela água vertida dos olhos das viúvas. Sim, Filipe, o que eu teria de implorar e gritar! Meu cargo no entanto me impede tais demonstrações públicas, e meus lábios, depois dos desencontros se fecharam para o beijo que dei na singela pedra sepulcral que não senti fria, e sim com a calidez destes ares mornos; naquele instante, eu sei, o Orador me voltou seu rosto, olhou-me, mas ainda estou longe do perdão. E me veio tudo à cabeça, o Velho eminente, o Sábio e o Santo, de joelhos dobrados, tentando recitar o *Pater Noster*, eu ignóbil a seu lado, abjetamente mudo..."

(No silêncio do Visitador, Filipe está mudo, receando ser incômodo em seu ato de deitar-se, dispondo seu corpo fatigado sobre as macias penas e fechando os olhos; é uma sensação também de paz, por primeira vez em tanto tempo a cama é sólida e não balouça ao sabor das ondas, e a voz do Visitador vai-se tornando em acalanto de mãe generosa que sabe adormecer o filho.)

"Sim, deite-se, Filipe, e não se perturbe com as coisas que digo, pois preciso dizê-las mais para mim próprio, talvez para me convencer de que são verdadeiras. Quando chegará o dia? Meu espírito torturado debate-se em angústias e incertezas como uma fera enjaulada e triste debaixo do peso da Sombra que me persegue e esmaga. Esta paragem que aqui fizemos na Bahia talvez pudesse ser evitada em atenção a seu conforto, Filipe, que eu não gostaria de ver perturbado, mas seguramente seus ossos não doem tanto como os meus, nem você está mais apressado do que eu em chegar ao Rio de Janeiro, lá onde inicia nosso Trabalho. Um Trabalho que você de certeza desconfia que resultará no maior fiasco em toda história do Santo Ofício em terras americanas, mas assim não será."

(Filipe já começa a ouvir aos pedaços, frases soltas que não encontram seqüência nas outras, perdidas em um oco profundo, vindas de muito longe... longe, a voz do Visitador perdendo-se em um labirinto de trevas. E Filipe sonha com as anêmonas lustrosas que viu na angra onde ancoraram, nas deliciosas amêijoas que comeram ao jantar, nos fulgores desta terra onde pequenos seres quase humanos e peludos saltam dependurados nas árvores, despertando alaridos ensurdecedores que mais parecem um agradecimento alvoroçado por viverem em lugar tão belo da Criação.)

## Mestre Domingos e sua esperança

Rendo-me, entrego-me a estes sulcos antevistos no papel, e meu lápis corre solto no desenho do São José encomendado pelo Abade. Já muito lutei contra minha própria falta de imaginação, já me desesperei e pedi auxílio a Deus, para que me desse inventiva e engenho para fazer uma imagem diferente de tantas que esculpi nesta Casa e no Reino, mas a Arte é musa sorrateira, pronta a esconder-se de quem mais precisa dela, preferindo entregar-se a outros que sabem ousar e que desafiam tudo o que já se fez até agora. Estes são privilegiados e possuem a Chama que tudo cria e tudo faz, tirando rigorosamente do nada as idéias. Quanto a mim, a questão resume-se em apenas repetir; o frade astuto que se dane, que vá fazer suas ponderações ao diabo, que vá dizer ao Senhor das Trevas seus reparos a respeito de meus santos. Os restantes frades não gostaram? não disseram que fiz as mais belas imagens que já viram? então? A verdade sempre está com o comum das pessoas, não com solitários críticos. Assim, deixo que o lápis projete a mesma boca, as mesmas barbas que todos já conhecem. A Arte também foi feita para edificação dos fiéis católicos, que nela aprenderam a reconhecer suas devoções. E depois, tenho um conforto, a Promessa que fiz sobre os Evangelhos; a Promessa tem um objetivo, claro: a preservação dos alcances a que chegou a Arte em nosso mundo português e católico, e que devem ser passadas aos aprendizes. Sábias razões presidem a exigência do juramento. Quem sou eu para contrariá-las? Acompanho obedientemente o traçado que se vai esboçando com facilidade e bom gosto, poderia desenhar o São José de olhos fechados, até intento fazê-lo, e vejo que minha mão é serva obediente e rápida, traça, compõe e desenha sem precisar de arranjos ou retificações e quando descerro as vistas, o santo está aqui, inteiro e pronto. Igual a todos outros santos, ninguém se perturbará com ele, ninguém revolverá cinzas de inquietações em suas almas: lírio na mão, olhar suave e rosto inclinado em ângulo preciso. Do que preciso mais?

De bom conselho foi o frade D. Antônio de Ericeira quando há pouco esteve em minha câmara. Louvou minha arte, estimulou-me a seguir com minhas técnicas e artifícios, disse o quanto gostou do Patriarca, todo composto na mais sã doutrina e como o Patriarca formou um quadro bonito com a Santa Escolástica; perguntou como aprendi e com quem, demonstrando um conhecimento profundo de tudo que diz respeito à imaginária que se pratica nas grandes cidades do mundo civilizado; tirou toda perturbação da minha mente ao dizer que o melhor trabalho escultórico é aquele que deixa os fiéis apaziguados e prontos a receberem a Mensagem. Um homem sábio e viajado, esclareceu-me como foi toda a história do recolhimento do índio, uma história passada no mar, contou todos os pormenores fantásticos que o Abade não soube me dizer, ou não quis. Palavras bem mais suaves do que as palavras do Abade, pois me aconselhou a deixar o índio esculpindo por si, que o deixasse livre para fazer as imagens como quisesse, Deus sabe o que faz. Que não impedisse o índio de exercer seu trabalho como quer; se quiser colocar olhos de amêndoa, que ponha... um dia, mais tarde, bem mais tarde, ele próprio se dará conta da pobreza dos seus inventos e pedirá conselhos apropriados. Eu de propósito não revelei a D. Antônio de Ericeira o quanto já repreendi o índio pelas estranhas formas que vem entalhando no cedro. Um Cristo, é certo, mas onde os olhos são amêndoas, e onde, sobre a Sagrada Cabeça não está fazendo uma trama de espinhos, mas uma insólita coroa com mais de palmo de altura, onde antevejo algo transtornado, produto de sua mente ociosa e inculta; sempre que lhe pergunto o que vai esculpir, não responde. Muito já me falaram José de Arimatéia e *Boa-mão* para que o chamasse à disciplina, o que fiz admoestando-o com maior caridade, sendo que às vezes meu desejo é dar largas à minha raiva. Mas sei o que me custa ver aquelas mãos grossas empunhando os nossos instrumentos, aquele olhar distante e determinado, como se alguém de longe o estivesse instruindo, aquela maneira de ignorar minha presença.

Mas é belo este meu São José, agora plenamente concebido no papel, e para o qual imagino estofamentos de marrom e cinza que serão aplicados sobre o ouro dos festões, de modo a fazer uma opulenta imagem, bem como se diz do Pai adotivo de Cristo: *Amavit eum Dominus et ornavit eum: stolam gloriae induit eum*, o Senhor o amou e adornou: e revestiu-o de uma túnica de glória. Isto é que importa, no Reino dos Céus, e não as vacilações e atrevimentos da Terra. Criar coisas novas pertence apenas Àquele que fez o homem, a mulher, as aves e os peixes sem nenhum modelo, porque apenas Ele é quem tudo pode.

Chego à oficina, saúdo os aprendizes, vejo que o Santo Anselmo já foi lixado e polido, *Boa-mão* prepara a mistura de gesso grosso com que recobrirá o santo, para depois de seco pincelar cola de pelica, e então novamente lixar e sobre tudo dispor o bolo armênio próprio para pintura. Encorajo-o a trabalhar, mesmo vendo o quanto se atrapalha nas proporções dos ingredientes, de modo que deverá jogar fora o preparo e refazer a fórmula, até que fique aquela consistência entre branda e firme em que, erguendo-se a colher, a massa escorra não em gotas mas grude-se a ela como um fio elástico. A Santana já está dourada, e José de Arimatéia vai brunindo a superfície com pedra-ágata, despertando o brilho adormecido das lâminas por cima de onde se pintarão as ornamentações. Trabalho difícil, que derrota os douradores sem prática ou ciência: esfregando demais a pedra, se perde em brilho; se de menos, obtém-se um brilho vítreo e que logo se desfaz. Me parece que José de Arimatéia sabe a justa medida de Aristóteles, e sua mão tem o peso certo. Será uma bela Santana, talvez vá para um dos altares laterais.

O índio trabalha de costas, seu corpo encobre o que está fazendo. Algo assim como escondido. Aproximo-me. O índio finge que não me vê e quando ponho a mão em seu ombro e digo “como vai, Francisco?”, volta-se em meio torso e vejo o corpo do Cristo, sumariamente contornado e a cabeça em que tanto labora. Não posso conter um "ah!" de surpresa e espanto, vejo que a coroa altíssima transformou-se num cocar indígena, de penas ferozes, demoníacas. – "Você não pode fazer isto" – digo-lhe, trêmulo, na ânsia de erguer o punho e descarregá-lo sobre o rosto do guarani que me fita com seriedade beirando o riso de zombaria. – "Não, não pode" – repito, tomando-lhe a mão que segura a raspadeira. Mas abrando a força, lembrado de *Olhos-grandes* e todo o desespero do outro dia em que me descontrolei, lembrado de todas as palavras de D. Antônio de Ericeira e do Abade. O índio entende minha fraqueza, solta-se e retoma a lavratura do cocar, marcando as nervuras das plumas com talhe firme, sabendo o que deseja.

Saio impetuosamente da oficina, ganho a galeria, encosto-me desconcertado e arfante à ombreira de uma janela de onde diviso o mar coalhado de fragatas, brigues e balandras... e instantaneamente, como uma luz em meio às trevas, vejo agora entrar um navio que traz no mastro central o festivo pavilhão branco e amarelo das armas pontifícias.

Enfim é o anunciado poder de Deus que chega a esta terra capaz de produzir tantas monstruosidades.

Persigno-me, tonto e cheio de esperança.

## *Januaria Flumine*

(Filipe há muito observa lançarem os pesos de medir a profundidade do mar, vendo que cada vez há menos nós nas cordas que emergem das águas carregando consigo aquelas algas enoveladas, trementes em sua cor verde e translúcida, brilhantes ao sol quentíssimo. Enfim chegam a São Sebastião, cidade episcopal do Brasil, que aparece flutuando em meio ao mar, igual como se enxergava nas gravuras que corriam de mão em mão na Corte, maravilhando a todos: morros, selvas, casas, igrejas, tudo em perfeita desarmonia. O Visitador está a seu lado, as mãos postas sobre a amurada, o olhar errante.)

"Três morros, três Ordens, veja bem. Naquele à esquerda, o Castelo, os jesuítas com seu colégio e sua imerecida fama de caviladores. Bem à direita, os ricos beneditinos, encarapitados no morro que tem o nome do seu Patriarca. Dois mundos tão opostos como o Velho e o Novo, duas filosofias e dois modos de vislumbrar a vida. A distância e a oposição dos dois morros é bem um sinal das discórdias: ambos disputam os melhores pontos onde erguer mais alta sua fé. No morro do meio, mais modesto, como para servir de apaziguadores, estão os franciscanos que se recusam a possuírem escravos e praticam a caridade do Poverello talvez como forma de desculpar perante Deus tantas desavenças lavrando entre homens que devem servi-Lo. Na baixada, quase sumidos, os Carmelitas orantes e silenciosos, preocupados em purgarem as faltas da Humanidade. É lá que ficaremos, terreno neutro como convém ao nosso Trabalho. E por felicidade encontraremos uma Colônia despovoada de autoridades, pois o Bispo reluta em vir e o Governador-geral vive quase todo o tempo nas Minas recém-descobertas, provavelmente fantasiando montes de ouro para remeter um quinto a El-rei, que Deus o guarde. E se assim ainda fosse! Sabemos como esse ouro segue o mesmo caminho da prata espanhola, rumo direto aos ingleses, alemães, holandeses, franceses; um dia os homens dessas nações serão os mais poderosos do mundo, de tanta prata e ouro da América que acumulam em suas arcas, e até nos emprestarão este mesmo ouro e mesma prata, fazendo-se de generosos e sublimes. Mas não pense que sou tão filósofo a ponto de que esta seja minha preocupação maior. Sou um homem pequeno, e como tal, me angustia mais o que me toca na minha qualidade de solitário: você bem sabe quem nos espera no atracadouro, já lhe falei nele, um Vigário-geral que D. Veríssimo de Lencastre perseguiu e expulsou; se for também um homem pequeno terá de mim o pior dos conceitos e tentará de todas as formas enredar-me em artimanhas e manobras. Rico e poderoso, desfruta destas vantagens com insofreável desenvoltura, numa terra de miseráveis e incultos e onde, mais do que em outros lugares, falam mais alto o dinheiro e os cargos. E o pior, meu Filipe, é que deverei confrontar-me com ele, por dever de função e de honra. Não se admire se me vir dizendo e falando coisas que estarão em desacordo com tudo o que tenho dito e feito nesta viagem que graças a Deus agora termina. Nós, os agentes dos Fortes, não somos comandados por nós mesmos; muitas vezes temos de mentir – ou melhor, escolher as verdades. Por isso, vá preparando os papéis, os códigos, as leis, as instruções e cartas que trazemos para o desempenho do nosso encargo. Eu já lhe havia prevenido que você não se envergonharia de mim."

(Filipe vai à sua cabina, tira de um escaninho a pasta de couro agaloada em ramagens douradas e onde se gravam as altíssimas armas do Reino. Abre-a, verifica mais uma vez se ali está o Regimento do Santo Ofício, lê pela centésima vez as Obrigações dos Visitadores, em treze parágrafos do Título Quarto; é isto assim: inicialmente, um período de graça, alguns dias que o Visitador deve oferecer às almas para que se acusem voluntariamente de pecados de heresias e outros crimes, e onde podem alcançar misericórdia e serem perdoados de judaísmo, sodomias, bestialidades, superstições, juramentos falsos, gentilidades, bigamias e outras tantas tristezas arroladas em uma lista de noventa. Depois, a penitência amorosa aos confidentes e a reconciliação e promessa de nunca mais transgredirem os preceitos. É verdade que o Visitador pode recusar-se ao perdão e mandar abrir processo, mas Filipe imagina que isto não acontecerá, e por muitas razões, bem novas. Passada a Graça, porém, tudo se transforma: o Visitador agirá por sua conta, ouvindo partes, inquirindo testemunhas, recebendo delações, mandando prender e até julgando se for delito menor. O que antes era Bondade transforma-se em Justiça; aí começa o verdadeiro Trabalho. Filipe pega o grande Livro da Visitação, de mil páginas em branco, destinado aos registros: para isto traz vinte e seis penas de ganso, afiladores, algumas onças de tinta carmim e negra, além de vários lápis para os rascunhos. Tem letra firme e bonita, redige bem o latim e conhece os cânones – por isto foi escolhido para este cargo que já tantas dúvidas lhe causa. Este Livro em branco, pesando em suas mãos mais do que o Regimento... O que lançará nele? mentiras? infâmias? verdades? Como por acaso e sem intenção, uma inesperada idéia da falta de propósito em tudo isso, esses lançamentos, estes escritos... o que mudarão na face da Terra? As palavras do Visitador têm um vigor de Eternidade, de coisas pensadas e certas, muito superiores a tantos papelórios, e impressionam ao serem ditas por alguém que desfibrou a vida em obedecê-las com a cegueira dos desesperados; muito menos abalariam se fossem proferidas por um santo, habituado ao perdão e à tolerância. Repõe o livro, fecha a pasta, pende a cabeça sobre as mãos postas.)

## CHEGA O VISITADOR

Durante toda a manhã Mariana Gabriela Furtado de Mendonça Martins e Matos acompanha a espera do tio, que está postado junto às pedras do cais, aparatosamente vestido com as insígnias roxas de sua condição honorária de Vigário-geral da diocese; trocaram-se emissários entre a nau do Visitador e a terra firme, ajustaram o cerimonial que deve ser estabelecido para a chegada do homem que põe o tio cada vez mais preocupado, ali a estabelecer hipóteses de como se deve comportar ante a autoridade mandada pelo Santo Ofício. Muito já se exclamou do calor, do mormaço e, agora, da falta de respeito de estar o Visitador tão reticente em baixar à terra.

Toda esta agitação encobre, Mariana Gabriela bem sabe, algo mais sério, e que se revelou no impetuoso monólogo de ontem à noite, em que o Vigário-geral praguejou, caminhando da sala ao quarto, do quarto para o gabinete, do gabinete para o pátio iluminado por tochas onde acordou os papagaios e fê-los ouvir os mais duros anátemas contra o Visitador, chamando-o de porco e mentiroso, lacaio de D. Veríssimo de Lencastre, um corvo a perseguir as almas inocentes, um homem que junta à sagacidade a maior frieza de coração, um perverso a serviço de uma causa que apenas serve de tormento aos infelizes, uma causa perdida e inútil, triste arremedo de justiça destinado apenas a manter o prestígio de El-rei e seu domínio completo sobre os súditos. Acaso os papagaios pensavam que o Santo Ofício tinham algum outro préstimo, mais nobre? por acaso não sabiam os pássaros falantes que a Inquisição hoje instala-se como um braço do poder civil, para isto usando sequazes indignos de usarem as vestes clericais? ah, o grosso da Igreja, os clérigos honrados, os verdadeiros homens de Deus abominam este Instituto feroz, mas são esmagados pela força de El-rei, que trata os bispos, arcebispos e até cardeais com o delírio da violência. Hoje os reis são absolutos em seu domínio, engrandeceram-se e inverteram o estado natural das coisas, dizem-se ungidos por Deus. Com que direito? Os sonolentos papagaios abriam um olho, ouviam, fechavam o olho, voltavam a recolher suas cabeças entre as asas coloridas, o que enfurecia ainda mais o tio, que os espantava com alaridos de catástrofes chamando-os de insensíveis ante o sofrimento, aves de mero sabor decorativo.

Mariana Gabriela ponderou ao tio que ele estava a engrandecer o mal, talvez não fosse assim tão severo e temeroso como ele pensava, mas bem pouco ele ouvia, presa de um furor impotente e pânico, quase beirando a loucura; a muito custo conseguiu recolhê-lo a seu quarto, deu-lhe infusão de láudano para forçar o sono que apenas chegou quando as graciosas nuvens do Leste começavam a corar-se de vermelho-sangue.

Mas foi um sono agitado, de murmúrios incompreensíveis e solavancos do peito, quase um estertor de morte. Acordou-se num repente, a testa úmida, as veias do pescoço estourando. Não quis comer nada, nem fatias de melão nem talhadas de melancia que sempre saboreou com apetite ciclópico. Chegaram os criados para vesti-lo, gritou com eles, nada servia, decidiu-se por fim usar a alva sobre a sotaina e sobre ela a estola amarela do período canônico, mas isto depois de provar inúmeras, chegando até, num momento de fantasia, a experimentar uma toda negra, própria dos enterros e encomendações. Dois padres acudiram, ponderaram; cedeu, mas não atinava trançar o cordão sobre os rins, foi preciso que mãos mais serenas fizessem o serviço. Foi trazido quase de arrasto, tropeçando nas pedras, enterrando os pés na lama do Largo do Carmo, indiferente ao riso do povo que foi-se juntando logo que soube da chegada.

Vêm mais emissários, o Visitador deseja um *Te Deum* imediato, a ser celebrado na Sé, ao qual devem acudir todos os clérigos seculares do Rio de Janeiro; retornam ao navio com a concordância pressurosa do Vigário-geral, que despacha os auxiliares a convocar os padres, sob ameaça expressa de punições terríveis se faltassem. Aos poucos vieram, paramentados e tristes, colocando-se em linha instável atrás do Vigário-geral e assim ficaram até que todos enxergaram baixar do navio um escaler de proa afilada e popa retilínea e logo depois baixaram remadores com panos nas cabeças e por último aquele que deve ser o Visitador, de alva esvoaçante e gestos de velho, seguido de outro clérigo, menor, que, depois de descer, recolhe um imenso pacote que lhe é arriado por cordas.

– Lá vem – diz o Vigário-geral, como quem diz lá vem a minha desgraça, lá vem a peste e a destruição.

Mariana Gabriela, distante três passos, debaixo do guarda-solinho segurado por uma escrava, percebe que o tio está com a face lavada em suor. Lembra-se de enxugar-lhe o rosto, mas sustém-se: depois de avistada a Autoridade, o tio transforma-se numa estátua de tensão e medo.

Não muito demoram em singrar a pequena fração de mar, logo se alçam os remos, e a quilha do pequeno bote desliza maciamente sobre a areia, um homem desce, alcançam-lhe uma tábua que é colocada como ponte; descem os restantes marinheiros, desce o clérigo, desce o pacote do clérigo e por fim desce o Visitador, amparado por um oficial que o auxilia no perigoso andar sobre a tábua. Quando põe o pé em terra firme, livra-se do auxílio, endireita as costas não sem esforço e caminha em direção ao Vigário-geral, os braços estendidos para o amplexo e para o beijo apostólico. O Vigário-geral vai a seu encontro, oscula em silêncio a face rígida e depois, como para desfazer o embaraço, vai apresentando um a um todos os sacerdotes, dizendo-lhes os cargos, mesmo daqueles mais ínfimos que neste momento de aflição ganham enorme relevo. O pequeno clérigo que acompanha o Visitador é apresentado também: padre Filipe, secretário e escrivão e que desde logo se mostra um homem modesto, trigueiro e algo inquieto pelo destino do seu pacote, que vê carregado por um negro colhido na hora para este fim.

– O *Te Deum*, Reverendo Padre – convida o Vigário-geral, indicando o caminho da Sé.

– Sim – concorda o Visitador, seco.

É um homem antigo de feições cortantes como as imagens de pedra que ornam as solenes portas das catedrais do Reino. Mariana Gabriela poderia dizer que já nasceu assim, inteiro, sólido, eterno, senhor de gestos que parecem obedecer a um plano. No seu caminhar pausado traz consigo o peso dos séculos. Não olha para os lados, não se maravilha como fazem todos ao baixarem no porto: tem a Missão a ser cumprida com o zelo dos que estão a serviço alheio.

O Visitador em pessoa celebra o *Te Deum*, acolitado pelo Vigário-geral e pelos padres; ao final, clero e povo sentados nos escassos bancos, o Visitador sobe ao púlpito, de onde lança palavras que se iniciam com a gratidão a Jesus Cristo por estar entre as gentes do Brasil. Louva El-rei que sobre todos reina; louva a fraternal acolhida que recebeu do Vigário-geral que com segurança vem conduzindo esta diocese ora sem bispo e depois de um silêncio em que seu olhar percorreu toda a nave diz a que veio: verificar o estado das almas de uma terra assim carente de apoio espiritual; não veio como julgador nem como verdugo, e sim como conselheiro e pai. Não devem enxergá-lo revestido com a pele dos lobos, mas com o macio velo das ovelhas. Homem igual a todos, como homem um dia terá de enfrentar o Juízo, e este é um fato de que ele nunca se esquece. Depois de mostrar-se o mais humilde dos humildes, pede a todos que se ergam para a bênção, que dá de olhos fechados.

– Assim dizem todos – murmura o Vigário-geral à sobrinha, num rápido instante em que se cruzam à saída da Sé.

## Conversas noturnas

Mariana Gabriela manda que os criados levantem o serviço de mesa e se recolham a seus quartos, e não apenas porque é tarde da noite: a conversa entre seu tio e o Visitador assume uma tonalidade e um conteúdo que a deixam abismada.

Antes nada falaram sobre Portugal, nem sobre D. Veríssimo de Lencastre, nem sobre o Inquisidor-mor, a missão recém-chegada era um pretexto superior para não renascerem antigas perseguições e discórdias. Por vezes, entretanto, Mariana Gabriela percebia como o tio agarrava com força os braços da cadeira, a ponto de embranquecerem as polpas dos dedos e como se desinquietava com o serviço dos fâmulos: punham e retiravam os pratos do Visitador, que voltavam à cozinha intactos. Assim passaram dois pargos nadando sobre molho de amêndoas, uma perfumada galinha de cabidela, a lebre refogada em cheiros da Índia, fatias de porco engrandecidas por folhas de cebolinho, perdizes em escabeche. De tudo, o Visitador apenas provou duas colheradas do arroz-doce, e isto porque veio ornamentado com as iniciais *M.G.* feitas em trilhas de canela: era o dia dos vinte anos da sobrinha do Vigário-geral, e o Visitador disse que só por atenção à data se permitia comer. Mas a gentileza durou pouco: afastou o prato e os talheres, depôs sobre a mesa uma resma de papel todo escrito, uma longa lista de nomes e pormenores de crimes que foi recitando em voz invariável. A cada citação, erguia os olhos endurecidos para o

Vigário-geral, que concordava com a cabeça. E assim foram por quase meia hora, finda a qual o Visitador enrolou os papéis:

– Então confirma que todos estão recolhidos ao aljube?

– Noite e dia – respondeu o tio. – Se o Reverendo Padre quiser verificar, podemos amanhã ir até lá.

– Não. Tenho o dever de acreditar em sua palavra.

E iniciam a conversa medonha e inesperada, e é neste momento que Mariana Gabriela chega à conclusão de que é melhor ficar sem os criados a bisbilhotarem à volta.

Não reconhece o tio: firme, decidido, dá idéias de como se poderá agir na inspeção das almas, mas explica que a terra é pródiga em falsidades e feitiços; a fé católica deteriorou-se e não é forte como as congadas, catimbós e calundus. Em todo canto há adivinhos, mágicos, cobras que falam, homens que se transformam em lagartos, cabras que dão sangue em vez de leite, mulheres possuídas pelos gênios das trevas. E estranhos acontecimentos: tambores noturnos ressoando enlouquecidos, uma vassoura que se quebra sem explicação lógica, garfos que se cravam nos corações dos comensais, velas que ardem sem se consumirem, odores de corpos putrefatos em meio à Eucaristia, toalhas de mesa que mudam de cor entre o almoço e o jantar, crianças que nascem com duas cabeças e três pernas, espelhos que não refletem figura humana, relógios de ponteiros que andam ao contrário. Não se pode confiar em ninguém, todos os negros portam amuletos e diabos familiares em ânforas, todos os brancos se corrompem, blasfemam e participam de missas negras às sextas-feiras, muitos guardam hóstias consagradas em suas casas e com elas fabricam patuás sacrílegos. A terra é envolvente em mistérios que vieram com a religião dos escravos e que aqui se misturaram com as crenças dos índios. Comparadas com o que se vê aqui, as bruxas que se queimam nas fogueiras da Europa são verdadeiras monjas. Aqui perdeu-se a noção do pecado.

O tio reforça suas descrições terríveis, e com crescente alegria enumera tais pesadelos, na intenção evidente de esmagar o Visitador que no entanto nem ergue as sobrancelhas; ao contrário, escuta como se estivesse pondo tudo sob registro e tirando idéias. Em dado instante, ergue a mão:

– Já chega, doutor Clemente. A América é terreno fértil para Satanás. – Faz uma pausa intencional. – E para rendosas plantações de anileiras.

Um tiro no silêncio: o tio avermelha, o queixo treme. O Visitador sorri tristemente.

– Comércio é coisa de judeu, doutor Clemente. – Apóia ambas as mãos sobre a toalha, levanta-se, caminha até o enorme tapete de Arraiolo dependurado junto ao aparador, toma um pouco da franja entre os dedos, examina-a. – Abrande sua raiva, doutor Clemente. Meu desiderato foi apenas dar um arremate às minhas idéias. Não podemos prender e julgar o Brasil inteiro. Nosso papel deve ser, pelas circunstâncias, apenas exemplar. Longos anos de trabalho no Santo Ofício me ensinaram que todas as queimas, banimentos e prisões decretadas por El-rei na verdade eram mais dirigidas aos fiéis do que aos condenados. Se nunca pudemos entrar na cabeça de um homem e transformá-lo em um católico, muito menos se consegue converter um cadáver. Sua enumeração dos males do Brasil me trouxe uma luz inadvertida, inesperada, e a solução apareceu clara como estes céus.

– Em que pensa o Reverendo Padre? – pergunta o Vigário-geral, disposto a esquecer a anterior insinuação.

– Penso em estabelecer um período de Graça bem curto, no qual darei as absolvições de praxe. Depois escolheremos os criminosos mais notáveis e abriremos processos por categorias de delitos, de modo a que fiquem contempladas as heresias, as blasfêmias, as sodomias. Quanto aos outros menores, bem... pensaremos depois.

– E se punirá, Excelência?

– E por que não? ou eu atravessaria todo o Oceano apenas para dar um passeio?

O tio dá-se conta da melhor política:

– A pergunta foi apenas para que eu possa providenciar o necessário, os aparelhos para os tormentos de persuasão, a polé, tudo. O Reverendo Padre será bem servido e não terá do que se queixar. Ou não se usam mais esses aparelhos?

O Visitador pensa um momento. Diz então:

– Aguarde a ocasião em que eu pedir. – E olhando para Mariana Gabriela, estende a mão direita. Mariana Gabriela aproxima-se, ajoelha-se, beija-lhe o anel de ônix. – Deus te dê muitos anos mais, minha menina, e um marido honesto. – E despede-se.

Quando a porta da rua é fechada e o Visitador entregue aos ofícios do cocheiro que já esperava havia duas horas, o Vigário-geral cai desabado sobre o sofá de palhinha:

– Sirva-me vinho, Mariana. É muita fantasia para mim, que sou tão mau ator. Além disso, precisamos comemorar seu aniversário.

E manda acordar os criados, manda voltar toda a comida rejeitada, e o tio e sobrinha amanhecem comendo, a mesa repartida com todos os servos da casa e outros que chegaram das residências vizinhas, atraídos pelas luzes.

## O Edital do Visitador

"Então escreva aí, Filipe: Eu – você bem conhece meu nome inteiro –, Visitador das terras do Brasil por designação de El-rei e do Excelentíssimo Senhor Inquisidor-mor, faço saber a todos os povos das ditas terras que sendo incumbido de mister tão grave e levado pelo paternal cuidado que deve ter o Santo Ofício na pureza da fé em todos os domínios onde se entender a mão potente de Sua Majestade faço saber que hei por bem conceder de acordo com o Regimento e demais leis uma era de Graça de duas semanas momento em que conclamo a todos que hajam pecado contra a fé que voluntariamente se acusem de todos os delitos apontados no rol que acompanha este Edital quando então se dará especial mercê do perdão ao qual fui autorizado e que os que assim desejarem procurem a Mesa do Santo Ofício instalada nos Carmelitas e ali se apresentem ao Secretário que este edital também subscreve e façam constar seus informes, dizendo onde possam ser encontrados. O resto você termina, Filipe, porque as palavras me saem inertes da boca, quase um balbucio de criança. Acrescente aí que toda a sanha e toda a fúria dos séculos civilizados cairão sobre a cabeça dos faltosos. Amedronte-os, faça-os tremer nas raízes dos seus cabelos e nas polpas de seus dentes. Diga-lhes que com fogo se curará as feridas deste país selvático, porque só o fogo verdadeiramente limpa e cicatriza. Faça a apologia das chamas, de modo a desfalecerem de pavor ante a luz de uma candeia. Vamos nos fazer maiores do que somos, Filipe. Este é o caminho dos fracos e dos irracionais. Mas faça você mesmo, escreva você mesmo. Para mim, que já esgotei os limites do meu ódio, é difícil até simular crueldade. Benza Deus que leiam e levem em conta tudo o que você puser no arremate. Mas não acredito que isso aconteça na extensão que desejamos. No Brasil as palavras diluem-se no calor e no mormaço, perdem a arrogância e a força. É como se os ares mornos que vêm do Norte tivessem o dom de entorpecê-las, o mesmo ar que dá esse tom dolente aos gestos das mulheres e que faz este sineiro bater as horas canônicas nos momentos que sua fantasia indica, a tal ponto que já não sei se o último toque foi das *Vésperas* ou da *Nona*. Eu mesmo já me ia esquecendo de ler o final do Breviário, coisa única desde que me ordenei. Mas carregue nas tintas, Filipe, ponha todo o vigor de sua juventude no pulso que sustenta a pena de escrever. Sei que você agirá lestamente como sempre agiu, e fará nossos santos hospedeiros tirarem tantas cópias quantas forem necessárias para serem pregadas nas portas das igrejas do Rio de Janeiro. Mas não se engane: os que souberem ler, lerão, e passarão adiante aos outros, talvez alguns se assustem e venham à Mesa. Talvez até tenhamos delações, este mal terrível e tão estimulado no Reino, e pais acusarão filhos e filhos acusarão pais. A maioria entretanto pouco caso fará. O sentido das palavras ficará perdido nos vapores das tardes suarentas e acabará por dissolver-se nos espíritos alcoólicos ou no ardor das pimentas que irritam as línguas. Creio até que estas gentes rirão de nós, de nossa insolência: já estão acostumados a enxergar o poço de decomposição em que naufragam as almas mais rígidas que enviamos de Portugal."

"Mas como eu gostaria que viessem, Filipe. Eu sei bem o quanto meu peito se encontra inundado de graças que desejo repartir. Desejaria muito abençoar, até que meus braços se cansassem. Porque só pode perdoar quem foi perdoado, como eu fui. Não deveriam rir, porque depois do período de absolvições, teremos de agir: alguns serão punidos, alguns conhecerão o horror das galés e do banimento. É preciso que alguns sejam punidos para que todos os outros se salvem. É um ardil, o que preparo?"

(Filipe molha a pena no tinteiro, aproveitando um silêncio do Visitador, que abre o livro de orações e lê num suave murmúrio dos lábios. Ocorrem mil palavras para a conclusão do texto do Edital, mas assim como surgem com veemência e força logo se amortecem, tal como os meteoros que brilham num lampejo de glória para depois se desvanecerem em meio ao céu escuro. O Visitador fecha o Livro, tomado por uma idéia repentina.)

"Rasgue a lista dos encarcerados no Aljube, Filipe. Antes, escolha alguns nomes ao acaso, variando a qualidade dos crimes. Não quero eu próprio fazer isto. Minha idéia pervertida fatalmente iria escolher as infrações mais tenebrosas. Mas o desaparecimento da lista deve ficar como um segredo entre nós, ninguém pode saber, muito menos este tão afável Vigário-geral, este doutor Clemente que coitado tremeu frente a minha suposta ira. Pobre homem. Range os dentes de pavor pensando que vamos tirá-lo de seu sossego e dos seus comércios. Que delírio de mentiras e encenações tive de praticar, vendo aqueles saborosos pratos cruzando pela mesa. Quanta angústia sofri ao ler a lista da miserável humanidade e suas pretensas culpas. Entretanto, minha vileza reconheceu o quanto o Vigário-geral forçava um rigor que não possui. Será que tudo sempre é assim, que na vida sempre se está a ser o que não somos? É terrível admitir essa possibilidade. O que restará de verdadeiro?"

(O Visitador devolve o Breviário à mesinha e dá alguns passos pela sala, até parar frente ao Cristo que receberam hoje à tarde, trazido que foi por D. Antônio de Ericeira, frade de São Bento e que se inculcou como Promotor *ad hoc* dos processos inquisitoriais, usando os ofícios do Abade.)

"Este Jesus Cristo de braços abertos não será verdadeiro? Veja a energia dos músculos, o tônus viril das pernas e das mãos, como são diferentes das amulheradas e insultantes imagens que tanto já vimos no Reino e que, de tanto ver, achamos que são as verdadeiras efígies do Salvador. Note a desolação da cabeça pendente sobre o ombro, a boca entreaberta, me parece ouvi-lo dizer *Deus meus, Deus meus, ut quid dereliquisti me*, meu Deus, por que me abandonaste? Estes olhos, Filipe, o que são estes olhos? que estranho encantamento encerram estas pálpebras meio caídas e oblongas? é certo que não são nossos olhos, olhos de homens brancos e débeis. Ao contrário, têm uma energia que trespassa todas as épocas, brotam da terra como os grandes guapuruvus e jacarandás que vimos na Bahia. Não se diria que foram feitos por mãos de homem e sim que já nasceram prontos desde os dias da Criação. Este

Cristo Nosso Senhor me parece um homem vivo, que sofre vivo as dores do Sacrifício. No entanto, foi esculpido por um índio, a quem D. Antônio de Ericeira teima em considerar herege. Você percebeu o quanto ele insistiu em deixar aqui esta imagem? e o quanto fez ressaltar que o índio é criatura dos jesuítas? Temo, Filipe, que além do zelo esteja se patenteando a disputa permanente entre as duas Ordens. Por nossa sorte o frade é um homem pequeno como eu. Você certamente estranhou que o aceitei como Promotor nos processos eclesiásticos, mas sei bem o que fazia. Antes um adversário mesquinho do que um opositor brilhante. Sim, continuo sendo vil. Mas a causa é boa, e merece agir-se com astúcia. Quanto ao índio, quero conhecê-lo, nem que para isto seja necessário instalar-se um processo. Anseio em saber melhor a natureza selvagem das criaturas que até há pouco se considerava sem alma, e que tanto o Orador defendia contra a escravização. Se é certo o que diz um padre italiano, que o Brasil é o inferno dos negros, o purgatório dos brancos e paraíso dos mulatos, onde ficam os índios nesta numeração? a que instâncias são destinados? ao limbo? ah, Filipe, quero conhecer a sorte desse povo que é o mais autêntico e verdadeiro dono deste Continente. Talvez seja meu último ato de grandeza neste mundo. Trabalhe, Filipe, trabalhe com eficiência e rapidez, faça logo a eleição dos nomes e rasgue e queime logo a lista. Curtos são os dias dos homens sobre a Terra."

(Filipe vê seu Superior chegar-se à imagem e ali permanecer em contemplação. Antes que ele recomece a falar, Filipe age, escolhendo os nomes, terminando a redação do Edital tenebroso. Esta é mesmo uma nação de maravilhas.)

# O GRANDE APARTE

Os cabelos do holandês voador estão ainda mais amotinados, nesta manhã em que abre festivamente a porta da cela a Francisco Abiaru:

– Acabei, índio – diz, mostrando a singular mistura de elementos sobre a laje, enrolados numa trouxa colorida de onde emergem pontas e quinas de ferro e madeira. – Quero que você, meu major, me ajude a armar. Você será o único homem sobre a terra a aprender este segredo que será a nossa libertação. – E vai explicando: – Primeiro, abre-se assim, como você vê. Tem-se de ter muito cuidado para não rasgar. Isso, ajude. Agora tomam-se estas peças aqui e se encaixam nessas ranhuras, prendendo bem com a corda. Agarre com força, você logo verá como é fácil. Aperte bem aí, que eu faço o mesmo deste lado. Ah, meu major, enquanto esses prisioneiros só sabiam se lamentar, eu agia, não ficava parado. Homens que têm um alvo para alcançar nunca dormem.

E o imaginoso objeto vai-se fazendo, irregular e improvável, do qual tudo se pode dizer – um bicho, um desenho imprudente, um delírio –, tudo, menos algo que sirva para voar: onde as asas, as patas, as penas? E o tamanho aumenta a cada nova estrutura encaixada, de modo que logo tomará conta da pequena cela. Como o tirarão dali?

– Não há dificuldade – explica Petrus Cornelius – sairá peça por peça. Para Petrus Cornelius não há dificuldades.

Desenrolam depois o pano de lona composto por retalhos mal costurados em que Francisco Abiaru reconhece os brocados e morins que conseguiu com a viúva e com o comerciante. Ao estender o pano sobre a armação do aparelho, que aos olhos de Francisco Abiaru agora está mais parecendo o esqueleto de alguma ave alucinada, Francisco Abiaru entende seu princípio e sua lógica, no que é ajudado por Petrus Cornelius:

– Veja bem, o ar corre por aqui, rebate aqui, e age como uma grande mão para sustentar o aparelho que assim se eleva aos ares, levando as pessoas que estiverem agarradas nele. Aprenda bem, meu major. Você é muito importante para o meu projeto. Quero que você voe comigo para Mauritzstaad. Sou um pobre general fraco de forças, mas com seu sangue índio, com sua juventude e sua força, seremos os restauradores do grande império do príncipe de Nassau. – E cruza os braços, na doce contemplação de seu sonho.

Francisco Abiaru olha para a máquina, volta a olhar para o holandês e um clarão de luz perpassa suas idéias, e um pensamento brota natural como o sonho de Petrus Cornelius:

– Mas como faremos – e já fala no plural – para nos permitirem sair daqui voando?

Petrus Cornelius ri:

– Me admiro de sua ignorância. Primeiro: não vamos sair voando daqui, deste lugar. Precisamos voar de um morro. Segundo: não vão nos deixar. Nós vamos encontrar uma forma, nem que seja pelo embuste e pela mentira.

A idéia é tão espantosamente absurda que Francisco Abiaru, repentinamente, dá-se conta de que não há outro caminho senão aderir, pelo menos com seu lado folgazão e imaginoso:

– E que nome vamos dar ao aparelho?

Petrus Cornelius enrodilha o queixo e grita, numa explosão:

– Mauritzstaad! De acordo?

– De acordo – Francisco Abiaru responde, atiçado por uma súbita alegria, batendo palmas, indo abraçar-se ao holandês, gritando junto com ele: – Mauritzsaad! Mauritzsaad! Ó tão bela, ó tão bela! – E estão rodopiando de mãos dadas, gritando e saltando, dançando e cantando como dois malucos quando aparece o cara-de-lua:

– Ei! Pensam que isso aqui é o cu da mãe-joana? – E, para Francisco Abiaru: – Está aí de novo o padre judeu, está lá na sua cela. Avia-te. – Repara no aparelho e seu queixo cai, escancarando a boca: – Mas já está pronto?

Enquanto Petrus Cornelius começa a dar explicações mentirosas ao cara-de-lua, que com seu ar parvo parece acreditar em tudo, Francisco Abiaru esgueira-se pela porta. Saudades de Moisés Israel, como ele estará?

Encontra-o riscando o chão com o salto da botina; quando ele ergue os olhos amedrontados, Francisco Abiaru se dá conta de que nada mais resta do homem que conheceu.

– Mundo que vai, mundo que vem. Assim gira a Roda da Fortuna, Francisco – diz Moisés Israel. Caminha pela cela com o andar impreciso dos covardes, a voz amortecida, imerso de uma abjeta melancolia da alma, da alma que, como diziam na Missão, também pode ficar doente. – Ontem eu era cheio de vida e coragem para enfrentar todas as dificuldades. Hoje não consigo erguer a palavra sequer para o consolo de alguém aflito. Tudo está perdido, Francisco. Não me sujeitei a me reunir ao bando de miseráveis que se abaixou e foi acusar-se a si mesmo ante o Visitador e seus cúmplices, escoou-se o prazo da Graça. Quantos e quantos, eu sei, foram à Mesa e na ânsia de evitar maiores males atribuíram-se os mais nefandos pecados. Uma tristeza e uma infâmia que você não imaginava nas suas Missões, índio. Deverão estas autoridades erguer sua onipotência sobre as muralhas do medo? será esta a misericórdia que nos reservavam? Bem li e conheço os métodos que agora desencadearão com raiva de mil demônios, não consigo a bênção de uma noite de sono. Por isso vim aqui. Para dormir. Perto de você se respira uma paz que não se encontra em outros lugares, nem no meu Colégio. – Moisés Israel dispõe as palhas no chão e deita-se, as vistas coladas no teto, as mãos sobre o peito.

O que fazer, o que fazer, pensa Francisco Abiaru, vendo que mais um pouco e a vida se esvai daquele corpo. Ocorre uma idéia, uma distração para o espírito martirizado do padre, e narra que ficou enfim pronto o aparelho do holandês voador, é assim e assim, grande e bonito, e parece que pode voar.

– Fantasias – murmura Moisés Israel – não sejas tolo como ele.

E Francisco Abiaru cai em si: que loucura, mesmo. E, tendo idéia melhor, conta com toda a força da língua castelhana as alterações de sua vida na oficina de aprendizes, a angústia de Mestre Domingos ao ver o Cristo com cocar ganhar formas e terminar-se em tempo miraculoso de tão rápido. Nunca Francisco Abiaru trabalhou com tanta energia, os instrumentos ganham vida, as lâminas cortam e desbastam com a velocidade de lebres, é capaz de concluir uma imagem em alguns dias, é Santo Inácio e a alma de seu Padre-mestre jesuíta que operam por estas suas mãos antes tão pesadas e lentas. Acorda-se sempre pleno de idéias como um lagar preenchido até as bordas e só sossega quando vê o trabalho pronto. Mas por pouco tempo ficou na posse de seu Cristo de cocar, logo veio buscá-lo D. Antônio de Ericeira, dizendo que continuasse trabalhando e aprendendo, para desespero de Mestre Domingos, que já não lhe dirige a palavra, limitando-se a lançar-lhe olhares de ódio. Veio outra tora de cedro e logo tomou forma um São Miguel sorridente e não apenas de cocar guarani mas com uma seteira às costas e que traz na mão, em vez da severa espada, um arco distendido pronto para ser atirado; calcava aos pés, enroscada como uma serpente, a figura do Mestre Domingos com dois cornos diabólicos na testa. E depois outros prodígios, que lhe foram arrebatados tão logo se delinearam: anjos de torsos largos, pernas curtas e pés esborrachados de índio, Santa Isabel feita à imagem de sua velha mãe da Redução, os cabelos escorridos até a cintura e dentes estragados, São João o Batista coberto com pele de onça. Os outros aprendizes, aterrorizados, desnorteavam-se em seus trabalhos, pediam a Mestre Domingos que os afastasse de tão terrível companheiro de ofício, os frades de São Bento alvoroçaram-se, uns curiosos, outros com medo, alguns com raiva gritavam pelos corredores as mais duras maldições, até que um dia o Abade em pessoa compareceu à oficina e, ante a incredulidade de todos, disse o mesmo que dissera D. Antônio de Ericeira, que seguisse fazendo suas esculturas. Ele até...

– Deves parar, Francisco – diz Moisés Israel – deves parar com essas provocações enquanto é tempo.

Mas Francisco Abiaru tem mais o que contar, como aquela tarde em que venceu a vigilância dos guardiões da igreja abacial, imiscuindo-se para dentro do coro, onde abriu o órgão e pôs-se a tocar o mais estupendo concerto que os ouvidos dos frades já ouviram, recheado de arpejos, escalas ascendentes e descendentes, tudo em *fortissimo*, calcando a pedaleira do instrumento em acordes tenebrosos como a tempestade que o colheu no rio de la Plata, arrancando ruídos de quenas amazônicas misturados a atabaques dos negros. Sua fúria musical não conheceu limites, esparramava os dedos no teclado em modulações selvagens, gritava e cantava nos momentos em que tinha de acionar os foles gigantescos para dar mais alento à máquina que pouco a pouco urrava como uma onça enlouquecida e assim foi até que a igreja se encheu de gente e chegou o Abade e gritou lá da nave que parasse aquela sinfonia, e como ele não parasse, dois noviços subiram ao coro e o agarraram e o meteram de volta para a oficina, enquanto se ouviam os debates que a tocata provocara nos frades, cada um com suas idéias sobre o que fazer, havendo um que até elogiou os trechos que escutara. De volta à sua bancada, cansado mas feliz, enfrentou com sobranceria todos os insultos de que Mestre Domingos se julgou no direito de proferir, só acabando seu vitupério quando vieram ordens do Abade. Para comemorar devidamente o momento, Francisco Abiaru tomou um novo tronco e começou a talhar uma Santa Cecília que em vez da harpa segurava entre as mãos uma indígena flauta de pã.

Moisés Israel parecia não escutá-lo:

– Sabes o que uma vez disse o padre Antônio Vieira? ele disse: por que não haveremos nós de ir ao encontro de Deus antes que Ele nos leve?

– O que o senhor quer dizer com isso?

– Quero dizer que a vida é um bem a que temos direito, e todo direito pode ser renunciado.

Quando acontece o Juízo Final: ouve-se o cara-de-lua no pátio, batendo um sino, chamando a todos para que venham reunir-se para uma notícia ao mesmo tempo boa e funesta, ao que atendem os atônitos prisioneiros, tirados de suas celas como se fossem arrancados dos túmulos, desempoeirando-se, os rostos mascarados pelo estupor, a caminho do seu *dies irae*: assim, vem o Pecador Notório, de beiços salientes e corados; aparece o Bêbado Contumaz, trêmulo pela falta de aguardente; depois o Adúltero, que recebeu um chapéu de dois chifres pontudos e que caminha olhando para o chão. Há um silêncio repentino quando surge Rainha Hécuba, solene e misteriosa, pela primeira vez enxergada à luz do dia, em meio a um claro que logo se formou em volta de si; também o holandês voador, não entendendo o que se passa, os olhos girando em torno, um sorriso tonto nas suturas dos lábios: uma infeliz assembléia, as caras alçadas para o cara-de-lua que, sentado num barril, segurando um papel, sem mais preâmbulos diz que, por determinação do Senhor Visitador destas terras, recebeu a ordem de fazer o aparte dos que devem comparecer perante a Mesa da Visitação, está tudo naquele papel.

Suspende dramaticamente a fala, olhando um por um e então, com o dedo gordo, começa a indicar: "tu...tu..."

– manda que os apontados se reúnam à sua direita, são os salvos da lista; os restantes agitam-se, colam-se uns aos outros. O dedo ainda não parou, e do grupo de desesperados sai mais um, que já quase ri de contente e vai-se agregar aos Eleitos, benzendo-se. E assim o dedo errante não pára, ora absolvendo, ora condenando; chega a deter-se em Francisco Abiaru, mas segue sua ronda para indigitar o Pecador Notório, que se ajoelha em agradecimento a tanta mercê do Visitador. Parece que há mais salvos do que condenados, porque pouco a pouco o redil pecaminoso reduz-se, ficando apenas o Adúltero, Rainha Hécuba, o holandês voador e dois ladrões. Francisco Abiaru pergunta ao cara-de-lua para onde deve ir, e ouve em resposta que ele está entre aqueles que devem postar-se à esquerda.

O holandês está eufórico, diz a Francisco Abiaru que enfim as coisas se arranjam, chegou a esperança que ele tanto queria, de voar com a nave Mauritzstaad, coisa que ele índio não adivinha, mas que ele pode ter certeza de que é o momento pelo qual tanto esperavam, então ele via?

– Não.

– Pois aguarde, meu major.

Quando Francisco Abiaru consegue livrar-se das loucuras do holandês e irrompe cela adentro para contar a Moisés Israel tudo o que acontecia, o padre não está mais lá. Deixou um bilhete e um rosário sobre a palha. É uma pancada no coração o que está escrito ali: *Se Deus me ajudar, vou a Seu encontro*.

## As inquirições

O doutor Clemente José Martins e Matos não sabe de certeza o que o desagrada nos carmelitas, se a prosaica conduta dos frades, refratária a qualquer tipo de ostentação, ou se o contínuo silêncio a que se obrigam pelo voto; o fato é que ao entrar no convento do Carmo, e ao subir até o salão do terceiro andar, seu corpo se fatiga com as escadas e sua alma cai em profunda melancolia com as paredes nuas dos corredores labirínticos vertendo água desde o teto, com a impressão geral de mau humor e com a absoluta ausência de qualquer prazer. Sempre que deve cumprir a visita anual, fica doente um dia antes, submetido a enxaquecas que racham a cabeça ao meio; se seu cargo não impusesse, jamais poria os pés naquele "antro de santidade", como costuma dizer à sobrinha.

No entanto, há dias que estoicamente comparece ao Carmelo e sobe ao terceiro andar e ali fica horas e horas na companhia desconcertante do Visitador, assistindo às interrogações de genealogia, *in genere et in species* às quais se submetem todos os que foram incluídos na *correição* que a Autoridade pretende fazer para exemplo geral, depois de transcorridas as semanas a que perfidamente chamam de *Graça*.

E hoje é dia muito cheio de presságios: será interrogado o padre Vasco Antônio, ou Moisés Israel. O doutor Clemente José de Matos bem que tentou tirá-lo da lista dos indicados pelo Santo Ofício, mas o Secretário do Visitador mostrou um documento firmado pelo Protonotário, recomendando que em especial atentassem para os casos de judaísmo entre católicos, e o documento falava nomeadamente no caso de Vasco Antônio. O que poderiam fazer, sob pena de a mão do Santo Ofício recair sobre eles mesmos? O Vigário-geral conhecia bem o padre Vasco Antônio, as acusações eram graves, gravíssimas, e a Visitação estava com a incumbência de fazê-lo aceitar todas elas, confessaria voluntariamente ele os hábitos judaicos? "Não creio". – "Nesse caso..." – fez o Secretário – "ficaremos sem alternativa senão obrigá-lo a isso".

O Vigário-geral já muito resignado está quando encontra Moisés Israel na ante-sala, ao lado da janela que se abre para a paisagem magnífica do Pão de Açúcar, vai ao seu encontro, o padre beija-lhe as mãos, ergue os olhos e antecipa-se a qualquer pergunta: "Não, doutor Clemente, de algo o senhor pode ter uma certeza: nunca vou dizer o *assentior contra me dictis*".

Pobre homem, esmagado pelas contradições de suas fés... curioso: o Vigário-geral percebe que mentalmente declinou a palavra *fé* no plural, será isso possível? Tenta consolar seu amigo, põe a mão sobre seu ombro, mas tem a consciência repentina que há milênios, há uma História da Humanidade inteira separando-os e que ele, Vigário-geral, representa uma Igreja de apenas vinte séculos e que no entanto se arvora no poder de julgar a própria e antiqüíssima Voz de Deus que vem no Livro de Moisés Israel. O máximo que consegue é dizer: "Fique em paz. Vamos resolver isso". Ao entrar na sala das audiências, pressente que algo inesquecível irá acontecer, a ele, logo a ele que nesse estágio da vida deseja mais do que tudo a paz do espírito e a regularidade das digestões.

E eis que está agora sentado a uma comprida mesa em meio ao salão inóspito, junto do Visitador e do Promotor *ad hoc* Frei D. Antônio de Ericeira. O Visitador instala-se ao meio, para marcar bem sua proeminência. Numa bancada minúscula, ao lado direito, fica o escrivão Filipe, incumbido das tarefas de chamar os acusados e lavrar seus depoimentos. O Vigário-geral sente a cabeça doer com a persistência das máquinas do relógio, e a cada momento precisa levar um lenço molhado à testa; para isto puseram a seu lado um bacinete de estanho com água canforada, onde flutuam algumas pétalas de rosas da Macedônia.

Ainda não é meio da tarde, as sombras custam a alongar-se, o tempo não passa. Logo ao início da sessão, o Vigário-geral perdeu a paciência com o toque desordenado na hora *Nona* e mandou ao superior do Carmelo que substituísse imediatamente o sineiro, os frades não podiam ter tanta misericórdia com um homem sabidamente bêbado. É contraditório: ele mesmo tantas vezes achou graça nas batidas desreguladas, são bem um símbolo desta terra.

Na verdade, está confuso e excitado por tudo aquilo que vê desenrolar-se à sua frente, como se as pessoas tivessem perdido o senso da realidade, comprazendo-se em levar a sério o que dizem estes desgraçados da sorte. Já passaram dois, neste dia, e o primeiro foi um padeiro que se dizia possuir fragmentos da Hóstia Sagrada, e a quem o Visitador interrogou *in genere* perguntando trivialidades, ouvindo em resposta apenas um murmurar estropiado e sem nexo. Mandado embora, puseram à frente da mesa um comerciante blasfemador e lhe foi perguntado se de fato havia dito que Deus não é auxílio nas horas de sofrimento; o comerciante vacilou ao dizer que não, era mentira de seus concorrentes. O Visitador fez vir uma testemunha, um homem gordo que sem olhar para o réu, dirigindo-se somente à Autoridade, disse ter ouvido com muita segurança, da própria boca do acusado, no dia de Natal, que antes era melhor invocar o diabo nos momentos de precisão.

– O diabo? – disse alto D. Antônio de Ericeira.

– Sim, o diabo – respondeu a testemunha – e disse todos os nomes do diabo: Belzebu, Astaroth, O-dos-cascos-fendidos. Eu ouvi e minha mulher ouviu.

– Neste caso, proponho à Visitação que mande encerrar o processo por blasfêmia e se abra outro por práticas de feitiçaria – disse D. Antônio de Ericeira à Autoridade. A Autoridade, distraída, riscava incertos losangos sobre uma folha de papel e a proposta colheu-a de surpresa; mas recompôs-se, dizendo que era melhor não, testemunhas mentem muito, era preciso mais indícios e provas.

O Vigário-geral volta a encharcar o pano de linho e o estende de uma têmpora a outra, não se importando que os olhos fiquem um pouco encobertos. Sabe por que faz isto: quer ignorar o drama de Moisés Israel, que o atinge com uma força que ele jamais poderia suspeitar, mas não consegue esquecer aqueles olhos ao mesmo tempo loucos e decididos, ternos e inflexíveis, algo que remonta a uma determinação insuperável. Bem feitas as contas, o padre Vasco Antônio já pertence a um outro Mundo. "Tolo, tolo, tolo", murmura o doutor Clemente José de Matos, o que custava dizer com simplicidade "aceito o que dizem contra mim"? Palavras, palavras. *Verba volant...*

A porta ao fundo da sala abre-se e por ela introduzem o holandês visionário de quem tanto falam, e esse é um bom pretexto para pensar em outras coisas. Como querem voar, neste século! Não há pessoa regularmente instruída que não tenha tentado construir um aparelho, e essa febre acaba sempre em tragédia. A visão do holandês é constrangedora, na sua demente inocência; muitas vezes o Vigário-geral quis libertá-lo, mas tropeçou sempre na impossibilidade de excluí-lo da lista tremenda. Tentou apaziguar a consciência deixando-o solto entre as paredes da prisão e com liberdade para fabricar seu artefato. Afinal, nada se ganhava nem se perdia. Ouve o início da sessão de genealogia, em que a voz do Visitador sobreleva ao murmúrio geral de alguns beneditinos que entraram junto e formam um círculo de curiosidade em torno do louco:

– Diga seu nome, meu filho.

– Petrus Cornelius.

– Quem era seu pai?

– O senhor, decerto. O senhor me chama de seu filho.

Depois de um instante preenchido por risadas murchas, o Visitador retoma:

– Onde você nasceu?

– Em Mauritzstaad.

– Onde é isso?

Várias vozes esclarecem em uníssono que é Recife.

– Qual a sua fé, Petrus Cornelius?

– A fé do mestre Calvino.

– Não diga heresias, Petrus Cornelius. Mestre é só Nosso Senhor Jesus Cristo.

O holandês repete:

– Mestre é só Nosso Senhor Jesus Cristo.

– Não repita, Petrus Cornelius.

– Não repito, reverendo padre.

Certamente o Visitador perturbou-se com a ousadia do louco, pois volta-se para o doutor Clemente José de Matos:

– Mas este homem sofre delírios. Como é que pode estar preso?

O doutor Vigário-geral retira o pano da testa:

– Foi incluído na relação pelo anterior bispo, que o mandou prender. As listas foram sempre homologadas pela Mesa do Santo Ofício de Lisboa.

A dúvida persiste no ar indeciso do Visitador:

– Contudo, o senhor bem podia ter relaxado este homem do cárcere. Qualquer um vê que é um doido.

A resposta vem pronta aos lábios do Vigário-geral:

– E ser eu mesmo vítima do processo? Quantas e quantas vezes mandei representações, sempre sem resposta? Lisboa e El-rei nunca ouviram a Colônia.

– Não era da minha alçada. O senhor sabe que ultimamente eu era um simples guardião dos arquivos – diz o Visitador, agora modulando uma certa impaciência.

– Tudo se passa assim, em Lisboa e no Santo Ofício. Ninguém é responsável por nada. El-rei bem podia ver com olhos mais generosos o Brasil.

É uma comoção, os frades de São Bento voltam-se atônitos para o Vigário-geral, e D. Antônio de Ericeira morde a rama da pena que tem entre as mãos.

Subitamente congelado em uma dura expressão de rosto, o Visitador olha para o holandês. O louco ri, a vista atraída pelo brilho do candelabro posto sobre a mesa.

– Petrus Cornelius, você está sendo acusado de heresia por não abjurar a fé do apóstata Calvino. Todos em Mauritzstaad são assim?

Petrus Cornelius ergue o dedo acima da cabeça:

– Nunca ninguém viu cidade mais bela e cheia de ruas e palácios. Lá corre o leite e o mel, lá não há doença nem fome, os homens são fortes e as mulheres são formosas. Triste geração de portugueses cúpidos que destruiu tão grande povo e tão grande cidade. Mas pouco se alegrarão, porque logo Mauritzstaad estará libertada, como Jerusalém. Rápido como vento e como as aves do céu vou em socorro de Mauritzstaad, vou lutar como um tigre e com mil canhões e mil exércitos vou pôr a coroa de volta na cabeça do Príncipe de Nassau.

– E como você pretende chegar até Mauritzstaad?

– Pelo ar, voando em minha máquina.

O escrivão Filipe sai de sua mesinha e sussurra algo no ouvido do Visitador; este, depois de ouvir, concordando com a cabeça, diz:

– Que façam trazer aqui o artefato.

Aos poucos vão entrando as peças da máquina, carregadas por três negros: varetas, caibros, panos coloridos, linhas enoveladas. O holandês corre e abraça-se aos despojos:

– Não toquem, não toquem com essas mãos sujas. – Põe-se de joelhos, virado para o Visitador, a quem encara, suplicante: – O senhor é poderoso e santo, me conceda a graça de voltar para Mauritzstaad! – Ergue-se num salto, joga-se sobre a mesa, agarra com as duas mãos a sotaina do Visitador, sacudindo-o, gritando: – Nenhuma cidade é tão bela como Mauritzstaad! – E é tudo tão rápido que a cadeira do Visitador tomba para trás, deitando ao chão a Autoridade em cujo pescoço vem agarrado o holandês, os frades acorrem a salvar o reverendo padre, que com surpreendente força tenta segurar os pulsos de Petrus Cornelius, procura levantar-se, mas talvez algo dói por debaixo das vestes e ele manda num estertor que retirem de cima de si o louco, que se dobra em gargalhadas perversas e a custo é contido. O Visitador recebe o amparo de D. Antônio de Ericeira, soerguendo-se. Sua voz é um rumor sombrio:

– Pois que assim seja. Voarás com tua máquina.

O Doutor Clemente José de Matos nunca soube como agir ante cenas desagradáveis. Quer fazer alguma coisa, mas uma imobilidade instantânea prende-o em seu lugar. Vê como o Visitador retoma seu assento e como acompanha com olhos em fogo a retirada do holandês, que se agarra aos panos do seu aparelho e vai assim arrastando aquilo porta afora.

Trêmulo, recompondo a dignidade de sua figura, o Visitador pega o papel sobre a mesa e, lendo, manda entrar a crioula Maria das Neves, por alcunha Rainha Hécuba.

Não tanto a bela e solene estampa da negra, não apenas as palavras cheias de segurança que profere, nem toda a auréola de arcanos que se desprende de seu rosto: em pouco tempo o Visitador está atento às profecias tremendas que escuta. Rainha Hécuba prediz os funestos males que ocorrerão ao rei de Portugal e ao destino da Colônia; envolta por uma túnica toda branca e com uma ânfora azul pendurada ao pescoço, ela diz que não é ela quem fala, mas sim o espírito de Alimã. O Visitador vê-se que hesita, quer e não quer ouvir, desconversa, volta à atenção até que por fim, diz, num repente:

– Pois solte esse Alimã. Quero ver se ele sabe tanto.

De nada adiantam as imprecações de D. Antônio de Ericeira, de que se trata de uma bruxa:

– Bruxas não existem, D. Antônio. O que existe é apenas o pecado.

Rainha Hécuba então pede que se faça silêncio e que se fechem as janelas. Na meia obscuridade vencida apenas pela chama de uma vela, perante a respiração estacada dos que se apinham na sala, Hécuba sustém a ânfora à altura dos olhos e a destampa.

O doutor Clemente José de Matos, o Visitador, os frades todos e D. Antônio de Ericeira ouvem então a voz rouca e colorida por entonações e que passa de um grave sonolento a um esganiçado que arrepia os cabelos do corpo:

– Senhores desta terra! cuidem de seus tesouros e de suas vidas, porque próxima está a destruição que está preparada desde todo o sempre. Desde que Portugal plantou suas garras no ventre do Brasil, isto virou o reino do Mal. Febres malignas, violações de donzelas, irmão que cobiça a irmã, homens que fornicam com homens, homens feitos escravos, ouro despejado nas gargantas dos Governadores, roubo e morte. Tudo é pouco para vingar tanto horror que se abateu sobre esta terra antes livre da inveja e da raiva. Perseguidores, serão vocês os perseguidos. Agora vou contar tudo o que sucederá ao Reino e as estas terras, a começar pela morte de El-rei que acontecerá na era bem próxima do ano mil, setecentos...

– Luz! luz! abram as janelas – grita estentóreo o Visitador. – Ninguém possui o direito de prever o futuro, que só a Deus pertence. – Agitado, o suor escorrendo em bagas que cintilam à claridade das janelas novamente abertas, o Visitador determina que Rainha Hécuba seja retirada incontinenti, mas que fique a ânfora como *corpus delicti*. Hécuba entrega-se aos braços dos negros e se deixa silenciosamente carregar até a porta, onde pára e, com olhos que percorrem um por um os homens da Mesa:

– Portugueses degenerados, julgadores, Alimã sabe o que diz, fala com a verdade. Ouvidos piores são aqueles que não querem ouvir. Já muito padeceu meu marido Príamo e meus cinqüenta filhos. Por que aumentar o número dos desgraçados?

– Fora! – berra o Visitador, levantando-se. – Não vim aqui para escutar fraudes.

O doutor Clemente José de Matos sente que a dor sua voltou, forte como ferro em brasa: o pano úmido parece incendiar-se logo ao pousar sobre a fronte. Que estranhos seres tinha presos no cárcere? Nunca quis ser nada, era apenas um *servus servorum Dei*, mas a Sorte inexorável empurrou-o às dignidades equívocas desta Mesa: três velhos, carregados de Europa e Civilização, senhores dos destinos de um povo que não entendem, um povo miserável e novo, original e incompreensível em sua força. Era isto que esperava da vida?

Chega um velho negro que trazem de arrasto, acusado de estar negando que Jesus Cristo é o Salvador, que é sim uma pessoa como as outras, só que muito inteligente e preparada nos estudos e que por isso mesmo tinha muitos escravos, só que os tratava muito bem.

O Visitador, procurando refazer-se, acompanha a acusação sem muito interesse.

O Procurador *ad hoc* vergasta de repente:

– E nem dizer o Padre-nosso ele sabe.

A esta afirmativa o Visitador desconcerta-se, e estirando-se por sobre a mesa, pergunta ao negro:

– Não sabes dizer o Padre-nosso?

– Sei.

– Diz, então.

O velho ajoelha-se, faz o sinal-da-cruz e começa a recitar desenvolto como se até cantasse, até a parte *panis nobis quotidianem... panis nobis... panis...* – e engasga, repetindo *panis nobis... panis...*, o rosto contrai-se de pavor, olha para os lados, procurando ajuda, *panis... eu juro que eu sei...*

Lívido e trêmulo, o Visitador ergue-se de sua cadeira e, para o espanto de todos, vai até o negro e segura-o com gentileza pelo braço, incentivando-o a que ele se levante. O Vigário-geral não acredita que isso é verdade, o Visitador falando com doçura a um negro:

– Repete comigo, tu sabes... *Panis nobis quotidianem dona nobis hodie...*

– *Panis nobis quotidianem dona nobis hodie...*

– *... et non nos inducas in tentationem...*

Sim, algo de maravilhoso acontece, o Visitador atento aos beiços grossos do negro, como se dali promane toda a Verdade. Escuta-se, então:

– *... et non nos inducas in tentationem...*

– *... sed libera nos a malo.*

– *... sed libera nos a malo.*

– *Amen.*

– *Amen, Jesus.*

– Então – diz o Visitador, com doçura comovida e os olhos líquidos de lágrimas – tu sabias.

É como se abrissem as comportas de um dique há muito represado: o negro então diz todo o *Pater Noster* sem vacilar, as vistas cravadas no Visitador, que depois o abraça e diz, traçando-lhe uma cruz na testa:

– Sabias, sim. Vai em paz, e que o Senhor te acompanhe. – E fica olhando o homem levantar-se e sair de cabeça baixa.

– Do jeito que vamos – interrompe o Procurador *ad hoc* – não se está a fazer justiça.

O Visitador não o escuta, presa de idéias que não são de hoje nem de ontem, mas remontam a um tempo perdido na memória, algo que assusta e constrange, ah, um homem cheio de mistérios, esse: dotado de extremo poder e de vontade determinada, agora parecia o mais humilde dos servos de Deus; porque não erra quem diz que este não é o mesmo que em Portugal armava alçapões solertes aos inimigos. Em Portugal era esbelto, ágil, de atitudes ríspidas e hoje os cabelos e a barba quase brancos e a lentidão dos gestos indica outro homem, pensativo e vago, cujo maior desejo parece ser o de livrar-se de seu encargo.

De repente a sala transforma-se em uma agitada assembléia em torno do Visitador, o rosto ventilado por um leque de juta. Uma notícia chegou a seus ouvidos e já corre como um rastro de labareda, estonteando a todos: um réu matou-se, jogando-se da alta janela. O doutor Clemente José de Matos, aturdido, tem apenas um pensamento nesta hora: Moisés Israel. Corre para a antesala, afasta os soldados e frades que se aglomeram junto à janela, olha para baixo, para as lajes de arenito do passeio. Sim, era ele, a cabeça esfacelada, jazendo entre um grupo de curiosos: embora de maneira errada e trágica, Moisés Israel acabou mesmo por cumprir seu propósito, seus lábios, ora mudos para sempre, jamais diriam o *assentior contra me dictis.*

E assim duas horas mais tarde, rodando a trote largo pelas ruas do Rio de Janeiro, a condução do bispado tira chapéus e dobra as espinhas reverentes, espantando os rostos que nunca viram tal fogosidade na parelha que sempre andou a passo. Nem entendem as cortinas cerradas e achariam até miraculoso se pudessem ver o Vigário-geral balançando ali dentro com aquele que todos sabem ser o rabino José Gomes da Silva, nome que encobre outro nome, bem mais oriental e proibido, e mais, que ali dentro vai um cadáver aos pés dos dois homens.

Há motivos para o trote: José Gomes da Silva esclareceu há pouco que enterros devem ser feitos ainda ao sol, e desse ritual não se exonera. No propósito de tirar de sua cabeça a confusão em que estava por não respeitar a proibição de se dar sepultura sagrada a um suicida, o doutor Clemente José de Matos pergunta ao rabino qual, em seu entender, é a religião que explica melhor o mistério da vida e da morte. O outro não responde imediatamente, limitando-se a manter os olhos fechados e as mãos trançadas sobre as pernas. Depois de muito andarem, diz:

– Perdoe, reverendo padre, mas no Brasil aprendi a honrar o silêncio como a melhor defesa. Assim, se me permite, pretendo deixá-lo sem resposta. Agora, se o senhor insistir muito, de tal maneira que até o silêncio se volte contra mim, eu lhe diria que a religião que dá melhor réplica à sua dúvida é a sua, a católica-apostólica-romana. Considera-se satisfeito? Estes longos anos nesta colônia não passaram em vão por mim. Aqui também aprendi a desfaçatez, padre. Mesmo sabendo o quanto El-rei precisa do dinheiro dos judeus e portanto sabendo que para nós as leis se abrandam, não chego a ponto de acusar-me.

– É tão sério assim este medo? – pergunta o doutor Clemente José de Matos.

– Não é medo, é terror. Não é prova suficiente a morte desse homem? Se ele errou em algum ponto foi em tornar-se cristão e padre. Tivesse perseverado em sua fé, não seria incomodado, e hoje seria um dos nossos, a salvo.

Começam a sentir uma aragem diferente, e o Vigário-geral percebe que estão em Botafogo, já entrevê as cercas de vime que delimitam a chácara. Está com a cabeça cheia de perguntas para fazer ao enigmático rabino mas escolhe uma afirmativa:

– Pobre Vasco Antônio. Morreu como um mártir de si mesmo.

– Sim – concorda o judeu – e cabe a nós enterrá-lo, a despeito de todos os impedimentos da sua fé e da minha fé. De certo modo, somos ambos transgressores. Ou talvez não sejamos? Afinal, estamos no Brasil.

– Sim, estamos no Brasil – diz o Vigário-geral, exalando um suspiro que faz movimentar as partículas de poeira que se iluminam no friso de sol que entra pelas sanefas do coche.

Tudo é muito rápido, quando por fim apeiam na chácara: o rabino faz conduzir o corpo até o porão ensombrecido da casa, despe-o, lava-o com água perfumada, reveste-o com uma toalha de linho e diz que está pronto. O Vigário-geral beija a estola, passa-a pelo pescoço e faz a breve encomendação, tendo como assistentes os serviçais da casa; estes depois unem-se para o cortejo que caminha entre os renques de anileiras, fascinados pela melodia entoada pelo rabino, cheia de modulações arrepiantes. A cova está preparada, ao pé de um cipreste que o Vigário-geral mandou plantar antevendo sua morte não muito distante. Dois negros cavaram, e agora depõem ao fundo o corpo de Moisés Israel.

Ainda brilha o sol, que entretanto começa a inclinar-se para os lados do morro, tirando sombras fantasma-góricas das longas filas de arbustos. Ao ouvir o som da terra sepultando o padre, o doutor Clemente José de Matos sente uma emoção impossível de ser expressa, um vazio onde tudo é vago e impreciso, como se lhe tivessem tirado os esteios das carnes. Sua sólida riqueza, representada por estas flores de tingir, subitamente transforma-se numa amplidão sem o menor valor. Cercado de luxo e conforto, sua vida lhe parece uma história desa-bitada, e nem a certeza de pisar solo seu, respirar ar seu, vestir roupas suas, nada tem o poder de afastá-lo de seu abandono. Terá de muito pensar, traçar novos rumos a seu poder e suas idéias. O absurdo passamento de Vasco Antônio até ganha sentido, neste singular instante. Quando o rabino José Gomes da Silva pede que se apresse nas orações, porque as suas já fez, o Vigário-geral volta-se para os pés da cova já coberta, abre os braços, as mãos espalmadas à altura dos ombros:

– *Absolve, quaesumus, Domine, animam famuli tuis...* – pensa em nome de qual servo de Deus pedirá absolvição – *animam famuli tuis Vascus Antonius* – e lhe parece falso. Diz, por fim: – *animam famuli tui Moises Israel ab omni vinculum peccatorum. Per Christum Dominum Nostrum.* – E ouve, nitidamente, a resposta suave do rabino:

– *Amen.*

Sem uma palavra, como obedecendo a um gesto longamente esperado por toda a natureza e céus que os cercam, os dois velhos se abraçam, e o doutor José Clemente de Matos experimenta por primeira vez a sensação de que faz parte de uma outra História, bem maior que sua efêmera vida, e que antes chamava, em desencantada negligência, de *Humanidade*.

## No aljube deserto

Francisco Abiaru caminha pressuroso entre as galerias da prisão agora deserta de vida. As celas, abertas e vazias, atestam a inconstância da Autoridade que relegou este aljube antes tão repleto de sons e passos à condição de refúgio de espectros. A seu lado vem o Afagaflor, que há pouco o informou da morte do padre Vasco Antonio. Um fato difícil de ser aceito, absurdo. Por um momento Francisco Abiaru pensou que ia desfazer-se em lágrimas, a dor roendo a alma; mas sofreou-se a tempo: ante a morte, deve-se impor a vida. Assim sempre foi nas Missões, assim será sempre; a morte, a morte é apenas um instante, ao passo que a vida é lenta e enorme. É preciso viver a existência, e não como um prelúdio do fim mas como o bocado de eternidade que nos toca a cada um.

Os passos, por isso, são decididos. O Visitador que faça o que bem deseja. Francisco Abiaru não sabe o que a Autoridade pretende a respeito da vida dele índio, mas uma coisa é certa: jamais se entregará, jamais dobrará sua cabeça e curvará seus ombros. Morrerá, se preciso, mas sabendo que poder nenhum sobre esta Terra é mais poderoso que uma consciência. Afaga-flor entretanto está inquieto:

– E agora, Francisco, o que será de mim? o cara-de-lua debandou, ganhou emprego na Casa dos Contos, está fundindo ouro. O Alcaide do Cárcere só está esperando a condenação de vocês para ser conselheiro do Governador-geral. E o meu emprego?

– Cala-te – diz Francisco Abiaru, estacando ao adentrarem no pátio onde duas figuras solitárias andejam como fantasmas.

De braços abertos para o céu, o rosto transfigurado por uma degradante loucura, Rainha Hécuba caminha em círculos, seguida pelo Adúltero, que se agarra tropegamente à orla do vestido branco e exclama como numa ladainha:

– Minha mãe, me salve.

A mãe de cinqüenta filhos interrompe a lamúria com um gesto ríspido, a mão erguida:

– Para lá, danado, para lá! o que tu queres de mim? já não chega tudo o que dei para todos nesta prisão? perdi um reino, perdi meu marido, perdi minha vida, perdi Alimã. Não tenho mais nada para dar, a não ser minha raiva e meu desespero e tu ainda queres mais? foi muito bem feito que tivessem posto esses chifres na tua testa, cão nojento. Para lá! – Palavras que não têm o dom de afastar o Adúltero, que cai aos pés da estátua negra, soluçando como uma criança. Rainha Hécuba está a ponto de pisar a cabeça do homem quando enxerga Francisco Abiaru. No mesmo tom odiento diz: – E tu, vem cá. – Francisco Abiaru obedece, não atendendo aos pedidos de Afaga-flor para que não se deixe seduzir por essa crioula, ela ficou doida depois que ficou sem a ânfora com o Alimã.

– De loucura eu entendo bem – responde Francisco Abiaru, tomando as duas mãos da Rainha.

– Não sou mais Rainha – ela diz, os olhos cravados nele. – Perdi meu consolador e o meu guia. Se tu me quiseres, sou apenas uma pobre viúva. Este infeliz aí – indica o Adúltero com a ponta do pé – esse infeliz pensa que posso ser ainda mãe. Meu leite secou. Me tiraram todo e nada mais me resta. De agora em diante pode me chamar de Brasil.

– Não vou tirar mais nada de quem nada tem – diz Francisco Abiaru, tomando Rainha Hécuba pelos ombros, forçando-a a abaixar-se. Brandamente como quem acaricia, dá-lhe um beijo na testa, que ela recebe de olhos fechados. – Também te perdôo por teres perdido tudo, Hécuba. – E deixa-a fascinada e agradecida, já intentando um sinal de benevolência para o Adúltero, que busca recostar-se em seu colo.

Ao ganharem novamente as arcadas rumo à cela de Petrus Cornelius, que o mandou chamar com instâncias frenéticas, esbarram no barbeiro, fazendo rolar a bacia de cobre.

– Olá menino, soltinho, então? – diz a Francisco Abiaru, ao mesmo tempo em que se agacha para apanhar a bacia. – Vim buscar minhas coisas todas, não há mais ninguém para atender. – E , encarando-o melhor: – Bela figurinha de índio, pois não? Os cabelos cresceram, quem sabe eu dou um cortezinho aqui nas pontas, só para emparelhar? afinal é meu último serviço. – Fixa mais os olhos:

– Mas o que é isso? o que te aconteceu? tu estás mais... mais velho, ou o quê? – Tira o espelho da bolsa a tiracolo: – Olha-te, índio, vê.

Francisco Abiaru vê-se: não é mais o bicho triste do dia em que foi visitar o Vigário-geral, não é mais o boneco. É ele mesmo, guarani, com seu próprio cabelo, com sua vida própria e seu sangue. É isso mesmo que desejava, que insistentemente perseguia, a sua verdadeira imagem de homem feito à imagem e semelhança dAquele que o criou e formou.

Encontram Petrus Cornelius retirado a um canto da cela, a máquina voadora toda armada e, de costas para a porta, um homem que ao voltar-se revela-se um sacerdote miúdo e trigueiro, de atitudes submissas; estranho que esteja amedrontando tanto o holandês, que ao ver entrar Francisco Abiaru e o Afaga-flor exclama que enfim vieram, por que demoraram tanto, esse padre quer saber muitas coisas sobre a nave Mauritzstaad e não desgruda dali. Mas parece que Petrus Cornelius já o conhecia, pois a seguir diz ao padre que é bem melhor que vá cuidar de seu ofício de secretário e de lacaio, ao que o padre explica, está em missão de paz e apenas deseja conhecer melhor o aparelho.

– Quem é o senhor? – pergunta Francisco Abiaru, aquilatando bem o ar reverente do padre, o aspecto tímido e preocupado de quem parece ter perdido algum remoto tempo da infância e ainda anda à procura.

– Melhor que eu fique desconhecido por aqui, mas já que pelo seu olhar noto tanto interesse, digo-lhe que me chamam de Filipe.

– O que o senhor deseja? Petrus Cornelius é meu amigo.

O padre indica a nave Mauritzstaad:

– Vim saber se este aparelho poderia voar.

– E para quê?

O padre cala-se por um instante, desvia o olhar:

– Sou um clérigo, não me obrigue a faltar com a verdade.

– Então dê o fora, de nós não vai saber nada.

O homem repõe o chapéu negro, enterrando-o até as orelhas:

– Então adeus.

Francisco Abiaru sente a repentina iluminação que nos ocorre quando estamos propícios a encontrar algum caminho para uma dificuldade:

– Não. Fique.

E então conversam, então falam longamente sobre a nau Mauritzstaad, Petrus Cornelius pouco a pouco entusiasmando-se com o que ouve e o que fala, e então desaba a noite sobre os telhados da prisão e algo de muito estranho ocorre: revelações, tramas, ajustes.

## O Perdão do Orador

(Altas horas da noite e ainda não dormiram: uma inesperada tormenta desfaz em água os pesados céus do Rio de Janeiro.)

"Ah, Filipe, você bem percebeu o quanto hoje, vencendo a lei da Vida e da Morte, superando anos de sofrimento e remorso, quando já não acreditava mais na remissão das minhas culpas, estive frente a frente com o Orador. Sim, era ele que ali estava, ele transmutado na pele daquele negro que não conseguia dizer o *Pater Noster*, era a Sombra, Filipe, era o Orador ali ajoelhado mais uma vez, colocando-me novamente à prova. Tudo me voltou à cabeça, aquele dia em que fui vil e tenebroso, mas o negro me encorajava, e em suas pupilas vi a tristeza do Orador, e me vieram fáceis as palavras do *Pater Noster* que soprei ao ouvido do infeliz, permitindo que ele completasse as palavras divinas. Salvou-se, assim. E com sua salvação veio a minha, também. E então percebo como tudo faz sentido, nestas terras do Brasil – esse perdão miraculoso jamais poderia ter acontecido na Europa, onde cínicos já nos endurecemos para os milagres e queremos tudo comprovado e visto; só nesta região de prodígios é que isso poderia acontecer. E bem sábio foi mais uma vez o Orador, escolhendo a pele do mais humilde dos humildes para revelar-se a mim. Agora sei que foi ele quem me fez vencer o imenso Mar oceano e conhecer estas terras, porque só aqui eu estaria pronto."

"E não sei dizer em que qualidade ou maneira fui abençoado e redimido, mas foi algo que percebi diferente dentro de mim, o brilho de uma alegria que lentamente se transformou numa paz inexcedível, uma busca que enfim chega ao final."

(Dirige-se a Filipe.)

"E você vá escrevendo neste livro todas estas coisas, para que seja o Novíssimo Testamento desta terra. Lance os perdões e a condenação, diga tudo sobre minhas vacilações odiosas, para que mais sobressaia a clemência de Deus. Não esqueça de procurar alguma autoridade civil, algum coronel ou capitão que represente o Governador-geral e aponha sua assinatura na sentença do holandês. Afinal, é braço secular que condena. Depois tente dormir. O ruído da água nos beirais acalma o espírito e induz ao sono. Quanto a mim, descansarei na tábua apenas quando sentir que nada mais devo ao Senhor em penitências."

(O Visitador faz o nome-do-padre, sorri brevemente.)

"Antes, porém, quero que você me conte sobre sua ida ao cárcere. Sei que há muito você espera por este momento e eu, mais preocupado comigo mesmo, não deixei que falasse."

(Filipe então fala e diz tudo o que conheceu, as maravilhas que seus próprios olhos enxergaram e como voltou do cárcere com o coração exaltado e alegre.)

"Bem trabalhou, Filipe, e sua fidelidade será recompensada. Seu conforto é meu conforto, e não posso esperar a hora em que tudo terá um fim que, Deus ajude, será o melhor para todos. Resta-nos pedir a Ele que a inteligência que deu aos homens seja forte no instante em que a sentença se cumprir."

"Resta-me agora cumprir os atos derradeiros e, enfim, desfrutar em paz o tempo que me resta nesta vida."

## O JULGAMENTO

E a Sé tornou-se pequeno lugar para tanta gente que acorreu ao proclama do Visitador que fez saber a todos que a última sessão da Mesa do Santo Ofício seria realizada neste oportuno lugar, amplo o suficiente para reunir todos que quisessem ver e ouvir a audiência do guarani Francisco Abiaru, réu de heresia. E fez mais, a

Autoridade: mandou intimar a todas as Ordens com assento na Cidade, que enviassem representantes sob pena de falta ao voto de obediência. Nem precisaria tanto, porque a natural curiosidade fez com que todos encaminhassem seus passos para a igreja, matriz de todas as outras, cujo rebôo das vozes entrelaçadas nas abóbadas confere à nave o ar inquieto de um circo – ninguém se ajoelha ou reza, comportando-se mais à feição de incrédulos que por acaso se tivessem encontrado naquele recinto já tresandante a couro, poeira e perfumes mais ou menos ordinários. Nem o ar marítimo do oceano ali em frente penetra pela única porta que, mesmo larga, encontra-se tapada de corpos unidos. Cachorros cheirando as botas e tamancos, o vago estupor pelo extraordinário de abrir-se a Sé em plena tarde, clarões mortiços de velas no altar: está composta a assembléia dos povos desta terra.

Um som de sinetas apaga as vozes antes de saírem das bocas e um silêncio de morte desce sobre o povo e logo abre-se uma respeitosa coluna em meio à gente e surgem à porta os dignitários das Ordens, de alva e estola. Abrindo o cortejo vem o Abade, luzente de orgulho, seguido pelo Reitor do Colégio dos Jesuítas, de olhos baixos e sorriso irônico tendo no encalço o Superior do Carmelo, rotundo e calvo, depois o Superior dos pobres de São Francisco e por fim o clero secular, de tipos variados, mas todos confusos em suas batinas puídas e lustrosas nos cotovelos. "Aonde nos levará isto?", pensa o Vigário-geral, olhando para o Visitador que está postado junto ao trono episcopal, ladeado pelo secretário Filipe, ambos atentos à coreografia dos clérigos que, chegando à capela-mor, fazem a genuflexão e sentam-se nas estalas de jacarandá ricamente decorado. Impressiona a figura imponente do Promotor *ad hoc* D. Antônio de Ericeira, posto em lugar solene ao pé do altar como se tivesse em seu favor todo o beneplácito celeste.

O Visitador ergue-se, volta-se para o povo:

– Logo que aqui cheguei, disse aos povos do Brasil que não vinha como julgador, nisto tenho cumprido minha palavra. Mais humilde que todos os humildes, sou uma pessoa que nada valho aos olhos de Deus; apenas a função de que El-rei me investiu é que me faz estar aqui, neste momento, ungido das vestes de inquisidor, e nada é mais penoso do que desempenhar esta missão de fé e de caridade. E por isso, nada possuo de méritos valiosos; como se lê em São Lucas, somos servos inúteis, pois fizemos apenas o que deveríamos ter feito. É preciso, entretanto, que tudo siga o seu rumo, e o rio caminhe por seu leito. Desde logo peço a todos que percebam que minhas palavras e minhas ações nada encerram de odioso, e se porventura eu tiver de condenar, condeno por desígnio superior; se absolver, é El-rei que absolve. De mim, as gentes do Brasil podem esperar apenas um propósito: a Justiça.

Durante estas palavras, proferidas em tom aparatoso, o Vigário-geral percebe que o rosto do Visitador não acompanha o sentido do que diz, há uma leve sombra de descrédito e até um fino sorriso de dúvida preenche os intervalos entre uma frase e outra. Se na homilia do *Te Deum* as palavras eram humildes, ou disfarçadamente humildes, hoje a Autoridade mostra-se segura, sabe o que está fazendo, e sua missão é bem outra.

– E para que se faça justiça – segue – é que faço pública esta audiência do réu Francisco Abiaru, índio guarani; eu não poderia sozinho julgar esta alma de Deus, pois os fatos que envolvem a pessoa deste índio são extraordinários e escapam à capacidade de uma única e solitária mente, por mais sábia que seja. E assim que chamo à presença desta Mesa o réu, para que todos o vejam e ouçam.

O rumor de vozes que se alçam logo é abafado por um novo soar da campainha. Neste silêncio o Vigário-geral percorre a assistência, constituída por toda esta gente, a miudeza da humanidade que nunca foi vista assim conglomerada, formando um ser vivo, único, um ser que até agora tinha apenas existência esparsa e fugaz, caras sem nomes sem títulos e que agora adquirem uma forma única, dotada de uma vontade e uma inteligência; é de pasmar como em tantos anos de Brasil ele jamais se detivera em pensar no povo como algo que de fato existe independentemente da vontade dos poderosos. Eis mais um ensinamento que estes dias lhe dão, e justo pela palavra deste homem tão incomum que o Santo Ofício manda para ser aniquilador das consciências. As idéias são interrompidas: o povo abre mais uma vez uma grande ala, grande talvez para o pequeno homem que entra, acompanhado por um soldado de dragões. Francisco Abiaru desperta uma onda de espanto e surpresa, e vem caminhando com o olhar sereno, olhando para frente e assim chega à frente e senta-se em um pequeno banco junto à balaustrada que separa a capela-mor da nave principal. Cruza os braços e olha para o Visitador, o queixo erguido, as vistas brilhantes.

Há algum tempo Vigário-geral não o enxergava; também o índio está mudado, perdeu aquela passividade da última vez, quando foi inquirido. Até não seria demais dizer que também ganhou uma nova força, tornou-se alguém, disposto a enfrentar o destino. O doutor Clemente José de Matos sente uma nascente vergonha de tê-lo privado de seu trabalho; é certo que corrigiu o erro mais tarde, mas imprevistamente e só por atenção a um pedido de Moisés Israel e não porque assim queria, preocupado mais com sua sorte pessoal. É verdade que sempre se encontra motivos para justificar qualquer ato nosso, e o Vigário-geral está nesta tarefa sempre inquietante quando o Visitador diz a Francisco Abiaru:

– Sabemos, meu filho, que sobre você pesam acusações fortíssimas de heresia. Deseja um defensor?

– Não, reverendo padre, Excelência, eu mesmo me defendo. Se a verdade e arte estão a meu favor, não tenho o que temer.

– Pois então, defenda-se do que lhe acusam. Peço que o Promotor *ad hoc* apresente suas razões.

D. Antônio de Ericeira levanta-se e dirige-se ao Visitador:

– Quero antes de mais nada protestar perante a Mesa e perante os representantes das Ordens aqui presentes e perante o Vigário-geral da diocese que este tribunal não está composto conforme os regimentos do Santo Ofício, eis que o mesmo prevê que as audiências devem processar-se de modo secreto e aqui estamos ante o povo. Nunca se viu nada igual.

O Visitador nem espera que termine suas palavras:

– Se o Filho de Deus foi julgado publicamente por Poncius Pilatus e perante todo o povo, não vejo nada neste homem que o coloque em situação de privilégio.

– Poncius Pilatus era um pecador.

– E somos nós melhores?

Os representantes da Ordens murmuram entre si, as cabeças inclinadas, o doutor Clemente José de Matos daria tudo para ouvir o que dizem.

– Faça a sua acusação, D. Antônio – ordena o Visitador.

– Obedeço, sob protesto. – D. Antônio de Ericeira desdobra um papel, lê: – O réu aqui presente, de nação guarani, incide em claríssima heresia implícita, por fazer santos que contrariam toda a fé. Age perversamente e com malícia, e se mostra insensível a qualquer admoestação ou conselho, escandaliza uma abadia inteira e não segue os ensinamentos de seus mestres.

– Mas este índio não fez votos de obediência – diz o Visitador.

– Mas deve obediência, como todos nós, à tradição.

– Que tradição, D. Antônio?

– À tradição da Igreja.

– Mas a Revelação, segundo sei, terminou com Cristo, e cumprir a tradição é cumprir um desígnio dos homens e, portanto, um desígnio falível e mortal.

D. Antônio de Ericeira olha aflito para o Abade, que pede a palavra. Concedida, diz:

– Entendo que Vossa Excelência, senhor Visitador, bem sabe o quanto as figuras de santos induzem à devoção mais pura e são um elemento eficaz de propaganda da fé católica. Isto porém só é possível se as imagens possuam formas que todos reconheçam e, como tal, umas não podem ser diferentes das outras. A tradição está justamente em repetir estas formas que todos veneram há muitos séculos.

O reitor do Colégio levanta o dedo, pedindo a palavra.

– Pode falar – permite o Visitador.

– Primeiramente – começa o jesuíta – é importante dizer o quanto nós de Loyola pregamos a expansão da fé. Nossos pregadores e professores sempre estiveram embrenhados nas matas do Brasil e do Paraguai, conheceram e amaram o povo que nelas habita, e têm por ele o mais profundo respeito. Este povo de Deus possui ritos próprios e modo de ser especialíssimo, e não nos cabe a nós discuti-lo. Cristianizá-los, sim, mas a seu modo. E neste sentido sempre fomos superiores aos amados irmãos, os frades de São Bento, que ficam enclausurados em suas ricas abadias e não conhecem um passo além da rua Direita e portanto não podem julgar as gentes.

O superior franciscano faz menção de abrir a boca. O Visitador pergunta-lhe:

– Talvez o senhor queira falar?

– Sim, reverendo padre. – O frade olha para o chão, as mãos enfiadas nos canos das mangas.

– Entre estas duas poderosas Ordens, a nossa excede a todas em humildade. Não acreditamos que seja justo escravizar nem reproduzir a fé pelo meio agressivo. Compaixão e bondade têm sido nosso lema. Possuímos nossas tradições católicas e romanas, e as respeitamos. Mas não acreditamos que seja justo condenar os outros por não segui-las. Deus nos fez iguais em dignidade e força. Nosso mérito franciscano está portanto em respeitar essa dignidade e assim procuramos a garantia da felicidade eterna.

O Visitador perpassa as estalas e, como cedendo a uma inspiração momentânea, pede ao superior dos carmelitas que fale. O homenzinho tem um susto, ergue a cabeça, sai de seu lugar e vai até o Vigário-geral, murmurando-lhe ao ouvido. O doutor Clemente José de Matos então diz que ele não falará, pois sua Ordem foi criada para a oração e o silêncio, e não entende como é que estão assim loquazes se com isso perdem o Céu. A fala do carmelita, interpretada pelo Vigário-geral, tem o dom de avermelhar o Visitador:

– Não foi para isto que pedi aos senhores para falarem. Vítimas da soberba, sois piores que fariseus que proclamavam suas esmolas ao som de trombetas e tímpanos. Ah vaidade, como tens obrado em nosso mundo! Estais cegos de orgulho, e ainda se dizem homens de Deus. E aqui cito a passagem de São Paulo aos Romanos: a fé esclarecida que tens, guardai-a para ti diante de Deus. A discórdia e a desavença muito longe estão da verdadeira caridade. Errei pedindo vosso conselho, pois sois tão presunçosos como saístes de vossas Casas da Europa.

Persignando-se, o carmelita volta a seu lugar, os lábios em eterno e silencioso movimento.

– Peço para continuar – diz D. Antônio de Ericeira. Sem ouvir a resposta, toma um papel: – Segundo diz o admirável Pugna, ao tratar das heresias...

– Vamos abreviar, senhor Promotor, pois todos nós sabemos o que diz Pugna. Vá à materialidade dos fatos.

– Se assim deseja Vossa Excelência, requeiro então que venha depor o mestre escultor, Domingos.

Mestre Domingos entra pela porta da sacristia, e não vem só: traz alguns negros que carregam volumes variados, recobertos por panos, e os vão depositando junto ao altar; depois de fazer uma reverência profunda e servil ao Visitador, e de dobrar os joelhos ao Santíssimo, Mestre

Domingos pára-se ao outro lado da cancela do comungatório, sem olhar para Francisco Abiaru, embora esteja a dois passos de distância do índio.

– Senhor Visitador – diz D. Antônio de Ericeira – a verdade é simples e não comporta argumentos maiores. *Evidentia non dicuntur*, a evidência não precisa ser dita. Em nosso caso, as palavras tornam-se fracas ante a materialidade que Vossa Excelência pedia. O índio guarani, sentado naquele banco, vem demonstrando por suas próprias mãos a sua heresia. As peças que obrou durante o tempo em que esteve na oficina de mestre Domingos bem atestam sua índole malévola e pervertida. Solicito ao mestre que fale o que aconteceu desde que o índio tornou-se seu aprendiz. Fale, mestre.

Mestre Domingos está pálido e confuso, olha em pânico para os lados, como um animal recluso que subitamente fosse dado à liberdade. Fixa-se em D. Antônio de Ericeira, que o incentiva com o olhar confiante.

– Excelência – diz por fim mestre Domingos ao Visitador – sou apenas um mestre escultor, e a sabedoria que tenho me foi dada por Deus e aperfeiçoada pelos meus mestres portugueses. Sou pequeno e modesto, e...

– Mas é um Mestre – interrompe-o o Visitador – e faz questão desse título.

– Sim, sou um Mestre por direito, passei nas provas e fiz juramento.

– Pois então não pratique a modéstia, que é a suprema expressão da vaidade. E diga logo como foi que tudo aconteceu.

– Pois como todos sabem este índio – e aponta para Francisco Abiaru – este índio aqui me foi mandado para ser meu aprendiz. De início revelou-se um bronco e um estúpido, sem nenhuma aptidão. Dei-lhe um tronco de árvore para esculpir e ele ficou dias na frente, sem saber o que obrar. Um dia, porém, veio à oficina com fúria nunca vista e começou a traçar diretamente na madeira.

– E isso é proibido?

– Sim, é proibido, antes deve-se traçar no papel.

– Continue.

– Pois traçou diretamente na madeira e logo começou a escarvar e fez uma coisa monstruosa, em desacordo completo com os cânones.

– E o que ele fez?

– Um Cristo.

– Mas como pode ser monstruoso, o Filho de Deus?

D. Antônio de Ericeira toma a palavra:

– Mas um Cristo muito especial, e peço vênia para mostrá-lo a Vossa Excelência e a todo o povo.

– Mostre logo – ordena o Visitador.

Mestre Domingos, fazendo nova reverência, destapa um dos volumes ao pé do altar descobrindo uma figura onde, no alto da cabeça, em vez da coroa de espinhos, alteia-se um cocar indígena, o que faz os representantes das Ordens erguerem-se de seus assentos, curiosos. O Visitador chega-se até a imagem e examina-a de alto a baixo:

– O que é isso? – pergunta a Francisco Abiaru.

– Um cocar dos índios, Excelência.

– E o que significa?

– Para os do meu povo, o cocar diz que alguém é muito importante, um chefe.

– Assim como um rei, o rei de Portugal?

– Sim, Excelência.

O Visitador volta a seu lugar, diz a D. Antônio de Ericeira:

– Não há mal nenhum no que fez o índio. Cristo já é representado há muitos séculos na Europa com a coroa de rei, para significar a sua majestade.

– Mas um rei pagão não pode ser comparado a um rei cristão – retruca D. Antônio de Ericeira.

– Os índios da Missões, e junto os seus chefes, já são cristãos.

O Abade levanta-se:

– Talvez batizados, mas os jesuítas se encarregaram de perdê-los para a fé. Veja Vossa Excelência este índio guarani. Pelos frutos reconhecereis a árvore, disse Cristo. Se ele se mostra assim arrogante é porque seus mestres de Loyola são arrogantes. O índio não teria feito esta imagem pecaminosa se não fosse ensinado por seus arrogantes professores.

O povo acompanha avidamente o debate glorioso, as bocas escancaradas, as cabeças movendo-se de um lado para outro, conforme cada um que fala, assim como nos jogos de pelota. Uns mais atentos, nas primeiras filas, chegam-se mais ao comungatório e observam curiosos a imagem do cocar.

– Inclusive – prossegue o Abade – não acho oportuno toda esta gente vendo isto, não é da melhor edificação da suas almas.

O Visitador olha para o povo:

– E por que não? Cristo não nos fez censores dos nossos irmãos.

O reitor do Colégio intervém:

– Beneditinos acostumaram-se a censurar, desde séculos.

– Ora, calem-se – determina o Visitador – fale o senhor, D. Antônio.

– Obrigado. Mas não foi só este Cristo – diz D. Antônio. Destapa outro volume.

– Uma santa – diz o Visitador, sem dar muita importância.

– Entretanto olhe para os cabelos escorridos até a cintura. Cabelos são sinal de luxúria.

– Que santa é esta, Francisco? – quer saber o Visitador.

– Santa Isabel.

– Os cabelos entretanto são de Madalena.

– Mas iguais aos da minha mãe, que não era puta – responde Francisco Abiaru, levantando uma onda de risos da platéia.

O Abade se assusta:

– Peço ao Senhor Visitador que mande sair este povo. Pode ser um grave perigo.

– Perigo é não reconhecer a verdade que temos à frente de nossos narizes. O que pode fazer este povo? Além disso, nunca em minha vida vi o povo chegar-se tanto ao altar, e isto por sua própria vontade. – E manda ao Promotor que continue.

D. Antônio de Ericeira então pergunta a mestre Domingos:

– Pela sua experiência, Mestre, você já viu imagens de santos tão perversas?

– Não, nunca vi.

– Não têm a menor arte, também, não é?

– Bem, isso de arte acabou ficando confuso, por obra desse índio. Minha mão de escultor tem de reconhecer que o índio sabe manejar os instrumentos e pela cara dessas pessoas que estão aqui vejo que gostam mais das imagens do índio do que das minhas imagens, porque estão rindo e estão contentes.

D. Antônio de Ericeira tem um momento de impaciência:

– Pois estão descubra as esculturas menores.

Mestre Domingos destapa uns volumes pequenos, e vão aparecendo anjos retacos, de rosto brejeiro e feliz, arcanjos de peitos largos e pés enormes, descalços, santas com os seios caídos à mostra, doutores da Igreja segurando arcos e flechas, toda uma hagiografia negra, índia e bela. O doutor Clemente José de Matos acompanha fascinado o movimento quase imperceptível do povo que vai formando um círculo de interesse, aglomerando-se junto ao comungatório. Alguns homens param-se frente à cancela aberta, já com um pé no degrau que dá acesso à capela-mor. Não, não deve ter medo; afinal, é o seu rebanho, e um pastor não pode temer as suas ovelhas.

– Veja o senhor mesmo – diz D. Antônio ao Visitador –, nas mãos desse índio os anjos tornaram-se pessoas e, pior, gente da terra. E se não está convencido, veja esta imagem – e tira o véu que recobre um vulto em tamanho natural, uma imagem de escravo onde está colocada uma auréola na cabeça.

– Um santo? – pergunta o Visitador.

– Evidentemente que não é um santo, mas um negro que o réu fez como se fosse um santo.

O Visitador pede a Francisco Abiaru que esclareça

o significado da imagem. Francisco Abiaru então diz, levantando-se de sua cadeira:

– Senhor, Excelência. Logo que cheguei a estas terras vi com meus próprios olhos que os portugueses costumam a ter pessoas negras como serviçais sem nenhuma paga, e tratam essa gente pior do que se trata um animal. Vi um destes escravos um dia ser esmagado pelas rodas de uma carreta e ninguém fez caso. O único que se preocupou foi o dono do escravo, que ficou reclamando o preço dele até que recebeu um dinheiro em troca, e ficou feliz por isso. Excelência: não posso aceitar que ninguém seja tratado dessa maneira, é gente com alma e batizada, e não me parece diferente dos que estão agora aqui dentro dessa igreja. – Vira-se para o povo: – Este santo é a cara de todos vocês. Um santo por tudo que sofreu e pode não ganhar capela nem igreja, mas ele é um santo no coração de cada um.

Nem bem termina de falar e um negro, rápido, irrompe do povo e ante o olhar aturdido dos representantes das Ordens e para maior espanto do Vigário-geral e D. Antônio de Ericeira, arrebata o santo de pau e sem que se possa fazer nada o põe sobre os ombros e sai carregando a imagem em meio a aplausos. É como um comando previamente ajustado: e sem que seja possível qualquer reação, a massa toda irrompe a capela-mor e ante o pânico, no meio da maior confusão e balbúrdia, apodera-se das imagens e cantando e rindo forma uma enorme procissão que sai porta afora, levantando os santos de pau, e vão alguns já dançando. Os guardas, os acólitos e todos que devem obedecer aos comandos de reprimir, todos ficam em seus lugares, hirtos: nada mais há a ser feito, é como se a própria voz e mão de Deus tivessem obrado naquele instante imediatamente sacralizado.

Na igreja vazia, a voz do Visitador parece um eco do outro mundo:

– Irmãos das Ordens, meus caros. Não vou dizer o que todos estão pensando. Parece que o Senhor nos indica o caminho claro, e a mim me dá a paz que preciso para meu julgamento. No cumprimento da sentença do holandês darei minha sentença deste índio e dos demais acusados.

– Peço clemência por Petrus Cornelius – pede o Vigário-geral – ele nada fez para merecer condenação.

– Mas ele mesmo quis. E não se pode negar a um homem a escolha do próprio destino.

E ante o espanto de todos, que ainda não sabem o que totalmente aconteceu, declara encerrados os trabalhos de audiência, e convoca os clérigos para a sessão final da Mesa do Santo Ofício, que terá lugar no morro da Gávea, e onde acontecerá o cumprimento da sentença.

## Final

Lenta e penosa é a subida ao morro da Gávea, desde manhã cedo que soldados de infantaria levam às costas a grande mesa cerimonial, o candelabro, a toalha de veludo, as cadeiras de braço e altos espaldares, jarros e bacias, maldizendo-se, clamando que um carrega menos que o outro, chegam até as injúrias gritadas, sem atenção à presença feminina de Mariana Gabriela, de braço com o tio encordoada na coluna que ascende a passos de cágado: a mata é densa, cheia de traiçoeiras armadilhas de espinhos, galhos quebradiços, aranhas, cobras. Ao longe a visão do morro é azulada e luminosa; perto, porém, transforma-se em um cipoal obscuro, onde mal se enxerga porque a claridade do sol, vencendo as copas mais altas das árvores, perde sua força nessa batalha e chega com timidez de donzela ao chão esteirado de folhas podres e úmidas, fragrantes a mofo.

Uma coluna lendária, quase mítica: logo depois dos soldados-carregadores, o Visitador, que por deferência do Vigário-geral vem carregado nos ombros de dois negros em uma cadeirinha de arruar, seguido pelo secretário Filipe, a pé, sobraçando o grande livro dos registros; segue-se a procissão por Mariana Gabriela e o tio, tendo no encalço D. Antônio de Ericeira e quatro clérigos representantes das Ordens que assistem na cidade e que se dão as mãos e toda hora tombam nas raízes dos espinilhos e caiobás, erguendo-se com surdas exclamações. Após, é a vez dos réus, presos uns aos outros por grossas correntes: Rainha Hécuba, o Adúltero, o guarani Francisco Abiaru e o condenado, Petrus Cornelius, por quem todo este aparato formou-se, o qual puxa, ajudado por um escravo, seu excêntrico invento, todo desmanchado e que parece pesar bem mais do que os braços finos e leitosos podem carregar. Fechando a fantasmagórica coluna, um punhado de negros de servir e alguns curiosos que se incorporaram ao farrancho durante o desfile pelas ruas do Rio de Janeiro. À medida que sobem, o ar vai ficando mais esperto e um vento fresco perpassa pelas pernas de Mariana Gabriela, tirando-lhe um arrepio que enregela as costas e a nuca. Quis vir não apenas por vontade própria, mas porque o tio assim pediu, e ele estava tão divagante pela morte de Moisés Israel, tão tristemente filosófico que ela não teve como se negar. Homem velho, contudo prescindiu do conforto de cadeirinhas ou liteiras, afirmando que assim podia pôr à prova seus músculos abrandados pelo luxo. Mas vacila, as passadas procuram os lugares mais sólidos para pisar, e não dispensa o amparo da sobrinha, que a todo instante acha que o tio vai desistir; só um instante, porém, porque logo se apruma:

– Avante. Quero saber como tudo termina.

Mariana Gabriela pouco sabe o que acontece, porque o doutor Clemente José de Matos foi tão econômico como é perdulário com seus bens. Mandou-a chamar e com um olhar fugidio que em nada se concentrava, disse: – "Vão sentenciar o holandês. Venha comigo". Ela respeitou aquele comedimento, pois bem sabia o quanto o tio estimava o jesuíta e como seria incapaz de condenações tão pavorosas. Qualquer pedido de explicações seria um excesso: a dor não se basta a si mesma?

– Se não fosse uma injúria ao Redentor, eu até diria que nem o Calvário foi tão rude – ela agora ouve o tio queixar-se, a fala murcha.

E assim por mais duas dificultosas horas, a coluna tropegamente ganhando chão e onde o arfar dos homens se mistura aos bramidos das onças-do-mato e aos guinchos tétricos dos micos que, saltando de galho em galho, acompanham a procissão. A cada clareira param a fim de tomar fôlego, mas o Visitador está impaciente para cumprir sua própria determinação, e logo manda que sigam.

E tudo acontece como o previsto e afinal, pernas e braços escalavrados, exaustos e atônitos chegam enfim à grande pedra, plana como um piso de sala, sobranceira à cidade e à baía refulgente de azuis belíssimos, a vista alcançando a imensidão do mar e a grandeza do céu, dissolvendo-se toda a paisagem numa largueza onde se desconhecem os limites entre a terra, a água e o ar. Mariana Gabriela, depois de acomodar o tio em uma das cadeiras, aspira profundamente, olhos alagados pelo abismo de luz e, não fosse um dia tão trágico, ela até poderia ser feliz.

Mas os surdos preparativos começam: os soldados depõem a mesa, cobrem-na com a toalha de veludo, arranjam as cadeiras, os candelabros. Próximos, mas a distância respeitosa, cercado por guardas está o redil dos desgraçados que devem assistir a toda a execução para lembrança eterna. À frente da mesa, os cabelos flamígeros batidos pelo vento, descuidado de seu destino terrível, pára-se Petrus Cornelius. Aos pés, o artefato com que pretende voar, uma forma estranha, uma ave morta, parece.

A mesa instala-se, senta-se ao meio o Visitador, sentam-se a cada lado o Vigário-geral e D. Antônio de Ericeira. O vento, rijo como chicote, ergue os papéis que o secretário Filipe tenta apaziguar com pedras, levanta as fraldas da toalha, alvoroça a sobrepeliz do Visitador, o qual tem – ou não? – um misterioso sorriso nos lábios. Mariana Gabriela é convidada por ele a sentar-se ao lado do tio; dali ela observa que na outra extremidade da mesa o secretário Filipe já abre o enorme livro, tira da bolsa um tinteiro e empunha uma pena, pronto para o trabalho.

O Visitador ergue-se, as mãos apoiadas na mesa. Visto assim de perfil, envolto em todas suas vestes e dignidades, largas mangas esvoaçantes e rendas que decoram sua estampa como uma faustosa moldura, adquire o aspecto majestoso e grave dos varões dos quadros, rígidos e compenetrados em sua própria nobreza. Mas hoje há algo diferente em seu rosto, não só o breve sorriso que se confirma nos pequenos sulcos aos cantos dos olhos inesperadamente vivazes, mas também por um malicioso trejeito dos lábios, o que lhe dá um ar muito parecido com os homens da terra. Tão rápido foi em aprender? Olha com decisão para o grupo de acusados – onde o índio tem papel de destaque, à frente, expectante, braços cruzados, o queixo sobranceiro. Olha para o holandês e com meticulosa propriedade de quem sabe o que deseja, diz:

– Procedamos logo. Peço ao secretário que leia a Sentença.

Enquanto Filipe lê a longa peça, eivada de reprimendas e injúrias mordazes, onde a prosódia cruel não se harmoniza com a timidez de sua voz, Mariana Gabriela perpassa a Mesa: o tio está com os olhos baixos e as mãos pretensamente amparando o rosto mas na verdade tapando os ouvidos. D. Antônio de Ericeira tamborila os dedos esquálidos sobre uma resma de papel, impaciente mas confuso, como se não acreditasse que aquilo viesse a ocorrer. Surpreso com o término da sentença, durante a qual manteve-se com os olhos em sonho, o Visitador pergunta ao holandês se ele deseja morrer na fé católica. Petrus Cornelius nada entende, a voz do Visitador perde-se nas contínuas lufadas de vento que redobra em vigor. O holandês sabe entretanto que se dirigem a ele, pois grita tão alto que consegue ser ouvido:

– Excelência! Quero que o índio guarani aqui presente Francisco Abiaru me ajude a armar o meu invento!

O Visitador manda aos soldados que libertem o índio, o qual, como obedecendo a um papel previamente acertado auxilia com rapidez a Petrus Cornelius, dispondo ao solo as longas hastes de modo a formar uma cruz, amarrando-as com uma tira de couro e desdobrando o pano multicolorido sobre a armação, prendendo-o com uma corda fina; enquanto isto, Petrus Cornelius constrói um balancim triangular com peças de ferro, fixando-o à armação que é revirada de barriga. O vento ameaça levar pelos ares o aparato, o que faz com que o holandês e Francisco Abiaru se joguem sobre ele; o Visitador manda que venham mais gentes ajudar a manter o engenho no solo e logo uma chusma de risonhos soldados está se atirando no grande pássaro, quase ao ponto de esmigalhá-lo.

– Excelência! – diz Petrus Cornelius – quero agora que se faça um vazio aqui para que eu possa levar a máquina para lá – e indica uma proeminência da pedra, a algumas braças de distância – e quero que o índio me ajude a me amarrar na nave.

– Faça-se – ordena o Visitador – faça-se logo!

Uma aglomeração de soldados e negros acompanha a subida do grande pássaro, que vai balançando e rangendo, como se fosse a qualquer momento desconjuntar-se. Mariana Gabriela sai da cadeira, põe a mão em pala sobre os olhos e vê a grande confusão que formou-se lá em cima, soldados e holandês e índio enovelados, braços e pernas e gritos de mistura aos silvos do vento, até que – um estouro, ou coisa parecida – dá-se um clarão em volta do aparelho e surgem, atados um no outro e ambos amarrados ao balancim, o holandês e o índio, equilibrando sobre suas cabeças a grande nave, prontos a despencarem-se pela descida que acaba no abismo.

– O índio não! – diz o Vigário-geral, ao que o Visitador põe-lhe a mão no ombro, brandamente forçando-o a aquietar-se:

– O índio sim.

E já vêm índio e holandês pela pedra nua, Petrus Cornelius aos gritos de "Mauritzstaad! Mauritzstaad!" e o índio com os braços abertos em sinal de vitória e cruzam pela frente da Mesa e lançam-se no espaço aberto. Ante o espanto de todos, o Visitador manda que o secretário leia a sentença seguinte, e Filipe lê, com a voz túmida de lágrimas e alegria:

– Eu, o Visitador destas terras do Brasil, ciente de que pouco ou nenhum resultado dará obrar-se em relação aos gentílicos com a natural ferocidade e com o natural rigor que observamos para com os povos ditos civilizados, convencido da grandeza e das bênçãos que sobre o Brasil sempre cairão em qualquer circunstância e convicto que seu povo é inocente de todo o mal que possa acontecer, perdôo a todos, ao mesmo tempo que rogo que me perdoem por tudo o que nós civilizados temos feito em todas as eras. Muito aprendi, muito vi e muito ouvi e mais do que nunca estou convencido de que esta jamais poderá ser a terra do medo e da desolação. O Cristo indígena que me foi dado por Francisco Abiaru o levarei para exemplo e modelo de fé aos nossos tristes paços e adros, e rogo a todos que orem por mim, em agradecimento a Deus por eu haver entendido todas estas coisas.

O Visitador volta-se para o grupo de acusados que se ajoelham e, dizendo a fórmula da absolvição, traça uma grande cruz com a mão segura e firme.

O doutor Clemente José de Matos segue com os olhos as graciosas evoluções que faz a nave Mauritzstaad em meio às nuvens, cada vez menor.

Pergunta, a face iluminada:

– Excelência, aquela nave, o que lhe parece?

O Visitador descobre o aparelho no céu e diz:

– Uma letra grega, não é igual a um delta?

– Sim – concorda o Vigário-geral – um delta colorido. Belo como o Brasil.

E enquanto Filipe devolve uma ânfora à Rainha Hécuba, que a recebe de joelhos, e todos aplaudem o destino feliz de Petrus Cornelius e do índio, D. Antônio de Ericeira puxa o capuz sobre a cabeça, envolvendo-se em silêncio.

*(Originalmente publicado como folhetim no* Diário do Sul, *de julho a setembro de 1988.)*

*Preciso lembrar várias pessoas: em primeiro a Valesca, que recolheu os originais deste livro dentre as coisas que periodicamente, mas sem nenhum critério, jogo fora. Depois, Antônio Hohlfeldt, que possui uma coleção completa do folhetim e teve a generosidade de emprestar-me para confrontações, e Tabajara Ruas, que há dez anos me pediu que o escrevesse; ainda Carlos Appel, Volnyr Santos e Amilcar Bettega, que leram isso tudo; pela digitação atenta, Mirela Barbosa. E Cíntia Moscovich, pelo entusiasmo comovente, pelas sugestões e pela graciosa amizade que nos dedica.*

*L.A. de A.B.*

# Índice